Jeux de vie

Catalogage avant publication de Bibliothèque et Archives nationales du Québec et Bibliothèque et Archives Canada

Antoniou, Mélina

Jeux de vie

(Collection Psychologie)

ISBN 978-2-7640-1795-1

1. Réalisation de soi. 2. Réalisation de soi – Problèmes et exercices. I. Matte, Marie-Véronique. II. Legault, Paul Hubert. III. Titre. IV. Collection : Collection Psychologie (Éditions Quebecor).

BF637.S4A57 2011 158.1 C2011-941236-5

Une compagnie de Quebecor Media
7, chemin Bates
Montréal (Québec) Canada
H2V 4V7

Dépôt légal : 2011
Bibliothèque et Archives nationales du Québec

Pour en savoir davantage sur nos publications, visitez notre site : www.quebecoreditions.com

Éditeur : Jacques Simard
Conception de la couverture : Bernard Langlois
Illustration de la couverture : Corbis
Conception graphique : Sandra Laforest
Infographie : Claude Bergeron

Imprimé au Canada

Gouvernement du Québec – Programme de crédit d'impôt pour l'édition de livres – Gestion SODEC.

L'Éditeur bénéficie du soutien de la Société de développement des entreprises culturelles du Québec pour son programme d'édition.

Nous reconnaissons l'aide financière du gouvernement du Canada par l'entremise du Fonds du livre du Canada pour nos activités d'édition.

DISTRIBUTEURS EXCLUSIFS :

- Pour le Canada et les États-Unis :
  MESSAGERIES ADP*
  2315, rue de la Province
  Longueuil, Québec J4G 1G4
  Tél. : (450) 640-1237
  Télécopieur : (450) 674-6237
  * une division du Groupe Sogides inc., filiale du Groupe Livre Quebecor Média inc.

- Pour la France et les autres pays :
  INTERFORUM editis
  Immeuble Paryseine, 3, Allée de la Seine
  94854 Ivry CEDEX
  Tél. : 33 (0) 4 49 59 11 56/91
  Télécopieur : 33 (0) 1 49 59 11 33

  Service commande France Métropolitaine
  Tél. : 33 (0) 2 38 32 71 00
  Télécopieur : 33 (0) 2 38 32 71 28
  Internet : www.interforum.fr

  Service commandes Export – DOM-TOM
  Télécopieur : 33 (0) 2 38 32 78 86
  Internet : www.interforum.fr
  Courriel : cdes-export@interforum.fr

- Pour la Suisse :
  INTERFORUM editis SUISSE
  Case postale 69 – CH 1701 Fribourg – Suisse
  Tél. : 41 (0) 26 460 80 60
  Télécopieur : 41 (0) 26 460 80 68
  Internet : www.interforumsuisse.ch
  Courriel : office@interforumsuisse.ch

  Distributeur : OLF S.A.
  ZI. 3, Corminboeuf
  Case postale 1061 – CH 1701 Fribourg – Suisse

  Commandes : Tél. : 41 (0) 26 467 53 33
  Télécopieur : 41 (0) 26 467 54 66
  Internet : www.olf.ch
  Courriel : information@olf.ch

- Pour la Belgique et le Luxembourg :
  INTERFORUM BENELUX S.A.
  Fond Jean-Pâques, 6
  B-1348 Louvain-La-Neuve
  Tél. : 00 32 10 42 03 20
  Télécopieur : 00 32 10 41 20 24

Mélina Antoniou

Marie-Véronique Matte

Paul Hubert Legault

Jeux de vie

S'ouvrir sur soi

Une compagnie de Quebecor Media

Remerciements

Nous remercions conjointe, conjoint, famille, amis et clients pour leur appui à la fois direct et indirect en s'étant portés «cobayes» de nos nombreux jeux, outils, pistes de réflexion et analyses.

Vous nous avez non seulement inspirés et permis de développer nos idées émergentes, mais vous avez su également nous épauler au quotidien, dans nos bons comme dans nos moins bons moments. Si nous avons été le moteur de ce livre, vous en avez très certainement été l'essence.

Nous remercions notre éditeur, M. Jacques Simard, qui a su rapidement nous donner sa confiance dans notre projet.

Nous tenons à remercier plus particulièrement, pour leur implication dans cette aventure, les personnes suivantes: Luis Armengol, Didier Belmondo, Kamran Beloin, Sophie Boudrias, Danielle Dalcourt, Jeanne D'Arc Vanasse, Flora Gaffuri, Jacques Landry, Monique et Michel Lafrance, Christian Limoges, Annie Marion, Béatrice Marlic, Jacques Matte, Karine Morel, Céline Muller, Nathalie Plante, Martine Rainville et Lyse Vanasse.

Merci à Guy Bélanger, de Swissnova.

Introduction
L'introspection : s'ouvrir sur soi*

La psychologie est omniprésente dans nos vies. Depuis plusieurs années, elle est au centre de nos professions, mais elle est surtout une véritable passion que nous partageons avec vous, cher lecteur. Il s'agit d'une initiation à l'art de vivre avec soi et les autres.

Plaisir, découverte, quête d'équilibre et d'actualisation de soi : l'idée du présent ouvrage offre plusieurs combinaisons de ces différentes notions qui ont émergé de notre soif d'aider notre lectorat à vivre pleinement le parcours de son cheminement personnel. Ce livre est en quelque sorte un guide de route réunissant les conditions nécessaires pour optimiser le voyage d'une vie comme on le fait pour dessiner le parcours d'une destination géographique.

Jeux de vie a été créé dans l'optique de prendre plaisir à s'explorer, de permettre à toute personne de faire une introspection amusante et de parcourir un cheminement psychologique significatif dans sa vie afin de se rapprocher du bonheur et du bien-être tant recherchés.

Par l'entremise de jeux et d'exercices de compréhension de soi, vous êtes invité à prendre part à votre propre pédagogie de vie. Vous y découvrirez de multiples jeux que vous compléterez à votre rythme et dans l'ordre que vous souhaitez.

---

* La forme masculine est utilisée dans ce livre dans le seul but d'alléger le texte.

Influencés par les Beaulieu, Salomé, Auger, Monbourquette, Burns, nous souhaitons, à notre manière, vous toucher et entamer ce processus de changement vers un mieux-être global. À la suite des conférences que nous donnons, plusieurs participants ont démontré un vif intérêt à posséder du matériel de croissance personnelle concret. Nous avons donc créé pour vous ce livre qui vous rend hommage et qui, nous l'espérons, vous sera utile au fil des années pour redécouvrir et réapprécier votre identité.

Le défi est ainsi lancé à tous ceux et à toutes celles qui veulent se prendre en main, à toutes ces personnes qui veulent devenir leur propre coach dans la vie.

Bien sûr, tous les intervenants – qu'ils soient aidants naturels, éducateurs spécialisés, enseignants, psychothérapeutes, psychologues, psychoéducateurs, psychanalystes, thérapeutes en relation d'aide, travailleurs sociaux, travailleurs communautaires, etc. – pourront bénéficier de ce livre de référence qui aborde avec fraîcheur des outils de réflexion et plusieurs notions de psychologie humaniste.

Pour un effet optimal

Ce livre est un guide de référence de longue durée. Les exercices peuvent être pratiqués plusieurs fois et servir à différents stades de votre évolution. Il pourra ainsi être complété et repris au fil des années.

Afin que l'exploration demeure plaisante, nous vous conseillons d'en faire la lecture à votre rythme afin de pouvoir réaliser vous-même vos acquis personnels. Après une journée intensive où vous êtes déjà fatigué, il est préférable de ne pas s'étourdir dans cette quête de recherche de soi. Prenez-le plutôt comme un livre de chevet à feuilleter à votre rythme selon votre énergie du moment, quand vous aurez envie d'une mini thérapie et de vous accorder un moment d'introspection. Vous pourrez noter dans un cahier personnel les différentes étapes de ce retour sur soi. Il ne remplace pas une thérapie avec votre intervenant, mais il peut certainement ajouter à votre démarche thérapeutique.

Vous y trouverez de nombreux trucs et conseils qui vous aideront à mieux vivre et vous comprendre. Construit en guide d'autosolutions, il favorise les différents apprentissages, afin d'améliorer les différents aspects de votre vie personnelle ou professionnelle.

Cet ouvrage vous propose une série d'exercices et de jeux de vie classés sous neuf avenues réparties tant sur le plan personnel que sur le plan professionnel. Nous sommes trois spécialistes, soit psychologue, thérapeute et coach-conférencier, et nous vous offrons ces jeux validés expérimentalement au fil des dix dernières années, fruits de nos pratiques professionnelles en psychologie. De nombreux exemples, des tests d'autoévaluation et des encadrés philosophiques vous présentent des concepts de vie essentiels au mieux-être.

La structure de chaque activité est composée d'un objectif qui englobe l'idée générale de chaque activité. Par la suite, elle dresse le matériel requis pour l'accomplir. Il est à noter que nous avons épuré au maximum le matériel afin de faciliter l'application et la réussite des jeux qui vous sont proposés. Une marche à suivre vous est ensuite proposée afin de vous donner des indices sommaires et des indicateurs pour le bon déroulement des activités. Plusieurs exemples sont insérés afin de vous aider dans votre réflexion des jeux de vie. Vous pouvez ainsi terminer l'exercice dans un cahier par un retour sur le jeu pour évaluer l'atteinte de votre objectif.

Nous terminons en souhaitant que les exercices vous profitent au maximum dans tous les aspects de votre vie. Maintenant, il ne reste qu'à vous amuser !

Les neuf avenues

Voici les neuf avenues qui vous sont proposées pour vous permettre de regrouper les différents aspects de votre vie.

- *L'avenue de mes objectifs personnels* représente le traditionnel journal intime que tout le monde connaît, mais avec des trucs et des astuces pour mieux vous guider.
- *L'avenue de mes objectifs professionnels* vous permet d'obtenir un portrait de votre situation au travail et la façon de modifier certains aspects que vous voulez changer.
- *L'avenue de mes phrases clés* vous aide à découvrir les mots qui vous propulsent ou qui vous bloquent et vous empêchent d'évoluer dans votre vie. L'enjeu est de pouvoir reconnaître vos phrases clés et savoir comment les modifier.

- *L'avenue de mes idées de génie* vous propose d'écrire vos idées ou autres réflexions importantes tout au long de votre parcours d'évolution.
- *L'avenue de mes habitudes de vie* vous suggère de saines habitudes alimentaires, certains moyens de gestion des émotions et certaines stratégies de gestion du stress, notamment par la cohérence cardiaque.
- *L'avenue de mes rêves et cauchemars* vous propose une voie de traiter et de colliger les plus significatifs. Quelques indications vous aideront à interpréter vos rêves et à mieux comprendre votre quotidien.
- *L'avenue de mon portrait de vie* inclut votre profil de personnalité selon les quatre types de personnalité sous forme de couleur. Êtes-vous rouge, jaune, vert ou bleu ?
- *L'avenue de mon couple* vous permet de faire un bilan ou d'établir le couple souhaité tout en vous donnant certains moyens pour réanimer ou maintenir la flamme au quotidien.
- *L'avenue de mon futur* vous permet d'écrire, de dessiner ou de coller ce que vous souhaitez pour votre avenir tant sur le plan personnel que sur le plan professionnel.

L'avenue de mes objectifs personnels

Activer mes désirs

Le désir qui naît de la joie est plus fort
que le désir qui naît de la tristesse.

Baruch Spinoza

Objectif: Activer le processus de réalisation de vos désirs en renforçant votre envie de prendre part à l'action et de savourer pleinement vos choix de vie.

Matériel requis: Cahier, crayon et du temps.

Marche à suivre: Lisez les étapes et complétez dans un cahier les rubriques du menu de vie.

Les spécialistes de marketing savent créer certains besoins en stimulant la zone des désirs parfois même inconscients. À la façon d'un menu de restaurant qui sait vous faire saliver par la simple description des plats, ce jeu vous invite à créer votre menu de vie. Vous devez dresser la liste de vos goûts, besoins et désirs. Vous entamez donc le processus de réalisation de vos désirs en faisant également face à vos choix tout comme vous le feriez dans un restaurant.

Vos goûts représentent vos intérêts, ce que vous aimez en général. Vos besoins ont davantage une connotation de nécessité, tandis que vos désirs font appel aux souhaits fantasmatiques.

Si vous faites l'exercice d'écrire ce que vous voulez dans la vie, il y aura beaucoup plus de chances que cela se manifeste. En d'autres termes, vos hémisphères droit et gauche du cerveau seront à l'unisson. C'est un peu comme si vous informiez toutes les parties de votre être à collaborer à l'exécution de ce que vous voulez.

La deuxième étape du menu est bien sûr d'établir vos «prix». Après avoir terminé la liste de vos voeux, faites l'autoévaluation en donnant un prix allant de 1 à 10 pour chaque «ingrédient», c'est-à-dire vos goûts, besoins et désirs. Le chiffre 1 est le moins important et 10, le plus important. Votre liste doit être dressée selon l'ordre d'importance des choix que vous privilégiez.

Voici l'exemple de Maryline.

Entrées, ou mes goûts	Prix
Nature	7
Sports	9
Arts	10
Animaux	8
Plats de résistance, ou mes besoins	**Prix**
Besoin de m'actualiser	9
Besoin de me sentir aimée	8
Besoin d'avoir du plaisir	10
Desserts, ou mes désirs	**Prix**
Safari au Kenya	8
Apprentissage du violon	6
Désir d'avoir un gros mariage	7

Retour sur le jeu: Vous êtes invité à prendre une période de réflexion. Quels ingrédients ont un prix élevé? Êtes-vous en harmonie avec vos choix de vie à l'égard des prix et donc en relation avec vos goûts, besoins et désirs? Sinon, que devez-vous changer afin d'être plus satisfait?

Vous pouvez renouveler cet exercice afin de réévaluer vos goûts, besoins et désirs selon différents moments de vie, car ils sont sujets à se modifier au fil du temps ou à la suite d'événements soudains. Vous pourrez ainsi refaire votre menu de vie et vous offrir votre table d'hôte!

Le jeu des cadeaux

Voir, entendre, aimer. La vie est un cadeau dont je défais les ficelles chaque matin, au réveil.

Christian Bobin

Objectif: Permettre de rétablir l'équilibre entre donner et recevoir Ce jeu est indispensable pour ceux et celles qui donnent beaucoup et qui pensent moins à eux. Vous avez des petites antennes qui détectent les besoins des autres, mais les vôtres sont mis de côté. Il en résulte souvent de l'amertume, trop de pression, de la fatigue, de la «victimisation» (qui signifie que vous avez le sentiment que les gens ne font rien pour vous, etc.).

Matériel requis: Cahier, crayon.

Marche à suivre: Chaque jour, levez-vous en sachant que vous allez recevoir un cadeau, quel qu'il soit. Pour aider le processus, mettez votre cahier sur votre table de nuit. Il vous rappellera cette conviction: «Aujourd'hui, je sais que je vais recevoir un cadeau.»

Voici des exemples:

- Vous pouvez observer tout ce que la nature vous offre (un rayon de soleil, une fleur, une odeur, etc.) et le recevoir comme des cadeaux.
- Les cadeaux peuvent aussi prendre la forme de compliments. Ainsi, quand quelqu'un complimente votre habillement, sachez recevoir ce cadeau et dites merci. Vous pouvez alors observer les fois où vous répondez par: «Oh, mais il est vieux!» Reprenez-vous en disant: «Merci, ça me fait plaisir!» ou «Merci, j'apprécie ton commentaire!».
- Au début du processus, il est important d'écrire tous les jours le ou les cadeaux que vous avez reçus. Vous constaterez qu'en très peu de temps les cadeaux vont se concrétiser.

- Sachez recevoir. Si une personne vous offre du chocolat et que vous n'en mangez jamais, acceptez-le quand même. C'est la manifestation qui est importante, celle de recevoir. Ouvrez toujours la porte aux offrandes.
- Si un jour vous vous rendez compte que vous n'avez pas encore reçu de cadeau, offrez-vous-en un. Vous vous doutez qu'il n'est pas question d'argent, mais de prendre du temps pour écouter le chant des oiseaux, respirer le parfum des fleurs, prendre un bain moussant à la bougie, etc.

Notez au moins un nouveau cadeau chaque jour ; après quelques semaines, cela deviendra un réflexe.

Voici l'exemple de Gabriel.

Lundi	En marchant pour me rendre au travail, j'ai senti l'odeur des fleurs. J'ai dit merci à la nature.
Mardi	Ma collègue m'a complimenté sur mon travail. Je lui ai dit merci.
Mercredi	J'ai vu la dernière catastrophe aux nouvelles. Je suis content d'être en vie, merci.
Jeudi	À un 5 à 7, un ami m'a dit qu'il aimait beaucoup ma coupe de cheveux. Je lui ai dit merci.
Vendredi	En fin de journée, je me suis aperçu que je n'avais pas encore eu mon cadeau. Je me suis fait couler un bon bain chaud avec des bougies. Je me suis dit merci.
Samedi	Des amis m'ont invité à manger. J'ai accepté avec plaisir et je les ai remerciés.
Dimanche	Un ami m'a donné un projecteur pour mon vélo. J'ai dit merci.

Retour sur le jeu: Comment vous sentez-vous après une semaine ? Quelles sont vos prises de conscience ?

Le jeu de la bibliothèque

Il y a un lieu en moi où je vis toute seule.
C'est là que se renouvellent les sources
qui ne se tarissent jamais.

Pearl Buck

Objectif: Constater et éliminer ce qui vous dérange (sentiments, émotions) et remplacer par induction ce qui vous inspire par la technique d'imagerie.

Matériel requis: Cahier, crayon, livres lourds (comme un dictionnaire) et lieu calme.

Marche à suivre: Vous devez créer une ambiance de calme profond dans la pièce afin de vous retrouver dans un état de détente. Dans un premier temps, vous devez établir vos peurs, vos blocages, ou ce qui vous dérange dans le moment présent; par exemple: la peur, la colère vécue dans telle ou telle situation. Vous devez alors désigner un livre pour chaque émotion, le nommer (comme «le livre de la colère»), puis le poser un à un sur vous, en état de calme. Le poids du livre sur votre personne permet au cerveau de mieux réaliser tout l'impact que l'élément négatif a sur vous, et ce, tous les jours.

Dans un deuxième temps, vous devez enlever les livres sur vous, un par un, en vous imaginant mentalement les jeter dans l'incinérateur qui, par le fait même, brûlera tous les éléments négatifs. Ce rituel favorise la désactivation de certains de vos blocages émotifs.

Dans un troisième temps, et de façon symbolique, les cendres sont récupérées et déposées dans un jardin intérieur qui servira d'engrais pour faire germer les états d'âme souhaités (par exemple, la paix ou la sérénité). Vous êtes alors invité à remplacer les éléments moins appréciés par d'autres émotions souhaitées et ainsi à renouveler votre bibliothèque.

Retour sur le jeu: Après chaque séance de jeu, il peut être pertinent de faire un rituel de retour en écrivant vos commentaires et en résumant les effets émotifs, physiques et cognitifs que vous avez ressentis. Vous favorisez ainsi vos chances de laisser remonter à la surface certaines prises de conscience importantes de votre vie. Un partage sur le jeu avec une autre personne complète bien cet outil.

Mon sens de vie, ma rose des vents

Vivre est si sensationnel qu'il reste peu de temps pour faire autre chose.

Emily Dickinson

Objectif: Déterminer le sens souhaité de votre trajectoire de vie. Il s'agit de bien vous connaître pour mieux vous comprendre, mieux vous positionner et ainsi mieux vous diriger.

Matériel requis: Cahier, crayon et lieu calme.

Marche à suivre: Avez-vous déjà eu l'impression que votre vie ressemblait à une course sans fin? Avez-vous déjà eu cette impression de courir sans cesse, d'avancer certes, mais avec une sensation de ne pas trop savoir vers où, ni pourquoi vous courez? Aviez-vous envie de faire cette course? Aviez-vous les bons souliers pour la terminer?

Nous sommes souvent influencés par différents éléments et contextes de vie (la génétique, l'éducation, les parents, les amis, les événements marquants, le contexte socio-économique...) qui peuvent prédisposer, précipiter ou perpétuer notre mode «pilote automatique» sur une voie qui s'est parfois éloignée, peu à peu, de ce que nous voulions vraiment. Pour bien amorcer l'exercice, il vous est proposé d'établir d'abord votre *sens de vie*. Il s'agit d'un concept qui diffère quelque peu du *sens de la vie*. Il est plutôt la direction que vous voulez lui donner pour la rendre plus significative à vos yeux. Elle prend forme lorsque vous arrivez à répondre à vos pourquoi existentiels, à savoir pourquoi vous êtes ici (ce que vous voulez être, ressentir, accomplir). Quand votre direction se dessine plus distinctement, il en résulte des projets personnels plus conformes à votre propre couleur.

Pour vous aider à établir votre sens de vie, commencez par ce petit jeu. Sachez répondre dix fois à la question suivante le plus spontanément possible en n'essayant pas de trouver *la* bonne réponse, mais en laissant plutôt ressortir les différents éléments importants dans votre vie : Pourquoi suis-je ici ?

Nous vous proposons un exemple au cas où vous auriez de la difficulté à faire l'exercice. Toutefois, nous vous suggérons d'abord d'essayer de le faire seul afin que votre réflexion ne soit pas accaparée par des aspects qui ne sont peut-être pas au premier plan dans votre sens de vie.

Voici l'exemple de Julie.

Pourquoi suis-je ici ?
1. Pour m'amuser.
2. Pour me réaliser dans mon travail.
3. Pour fonder une famille.
4. Pour me démarquer et laisser ma trace.
5. Pour apprendre.
6. Pour expérimenter.
7. Pour aimer.
8. Pour enseigner.
9. Pour aider.
10. Pour me surpasser.
11. Etc.

Retour sur le jeu: Ce jeu des pourquoi existentiels agit en quelque sorte comme une boussole. Il vous indique votre chemin, il vous permet de remettre en question certains de vos choix qui vont dans un sens opposé à celui que vous voulez réellement prendre. Vous pouvez ainsi comparer vos choix de vie actuels à ceux de votre sens de vie et reprendre confiance en vos chemins empruntés.

Les quatre roues motrices de ma vie

C'est dans le choix que nous faisons
de nos pensées que réside notre liberté.

Emmet Fox

Objectif: Être capable de préciser vos choix de vie par l'autoanalyse des aspects avec lesquels vous êtes bien et moins bien dans vos quatre sphères de vie importantes.

Matériel requis: Cahier, crayon.

Marche à suivre: Lorsque nous voulons préciser nos objectifs personnels, la question «Qui suis-je?» nous permet par la suite de répondre à la question «Qu'est-ce que je veux?». La connaissance de soi permet la prise de conscience de nos besoins, intérêts et désirs. Pour que vous puissiez savoir si vous empruntez bel et bien votre voie, vous devez d'abord maîtriser vos quatre roues de vie. À l'instar de votre véhicule qui a besoin de ses quatre roues pour rouler, il s'agit de découvrir les quatre sphères de vie les plus importantes pour vous, celles qui vous mettent en équilibre et qui vous permettent d'avancer pleinement. Ces roues peuvent donc représenter votre travail, votre famille, votre santé, votre couple, etc.

Puis, pour chacune des roues, vous devez nommer les éléments avec lesquels vous êtes bien et moins bien, ceux que vous voulez garder et ceux que vous voulez changer. Si les côtés négatifs ne viennent pas spontanément, c'est tant mieux. Vous ne devez pas non plus vous forcer à trouver ces éléments. Par contre, il est recommandé de faire cet effort pour trouver les éléments positifs.

L'exemple ci-dessous vous aidera à compléter le jeu. Toutefois, nous vous suggérons d'essayer de le faire tout d'abord seul.

Voici l'exemple de Josée.

Mes roues de vie	**Les éléments négatifs à changer ou à modifier**	**Les éléments positifs à renforcer**
Mon couple	Ma jalousie, mon comportement de détective	Mon implication dans mon couple
Mon travail	Ma relation avec ma collègue Katie	Mes nouvelles responsabilités dans la gestion de projets
Ma santé	Mon alimentation en général	Le fait d'avoir recommencé à jouer au badminton
Ma famille	Le peu de temps que je leur consacre	La qualité du temps que je leur consacre

Retour sur le jeu: Avez-vous eu plus de difficultés à trouver les éléments positifs que les éléments négatifs? Qu'est-ce que cela signifie pour vous? Le fait de reconnaître des éléments appréciés et moins appréciés dans votre vie vous permet par la suite de préciser vos objectifs tout en tenant compte de votre réalité actuelle. Vous pouvez préciser ce que vous voulez conserver et par le fait même ce que vous voulez modifier afin de réduire les éléments négatifs, les zones de vie désagréables et renforcer les éléments positifs, les zones confortables.

Pour reprendre l'image des roues, les éléments négatifs agissent en quelque sorte comme des «dégonfleurs» de roues, ils vous font dévier de votre trajectoire, vous ralentissent. Les éléments positifs fonctionnent à l'inverse. Toutefois, le réglage de vos roues est tout aussi important! Si vous avez une roue trop gonflée par rapport aux autres, votre tenue de route peut en être tout aussi affectée au final. L'équilibre des quatre roues est donc fortement encouragé.

Le MEMO

Dans la semence de votre désir se trouve tout ce qui est nécessaire à sa concrétisation. Votre travail est simplement de lui offrir un sol fertile dans lequel il peut grandir.

Abraham Hicks

Objectif: Préciser vos projets et objectifs afin de vous donner plus de chances de les voir se concrétiser réellement.

Matériel requis: Cahier, crayon.

Marche à suivre: Est-ce que quelques objectifs personnels se dégagent peu à peu? Certains chercheurs stipulent que plus nous précisons nos objectifs de vie, plus ils ont de chances de se réaliser et de se concrétiser. La probabilité augmente encore si le tout est écrit sur papier. Dans cette optique, il peut être fort utile de dresser une liste des objectifs que vous avez en tête, puis de les préciser en faisant l'exercice du MEMO. Celui-ci consiste d'abord à établir le moment et l'échéancier de l'objectif. Puis, vous devez déterminer l'endroit le plus propice à l'atteinte de l'objectif. Ensuite, vous devez penser à tous vos moyens pour réaliser l'objectif, en préciser les étapes ainsi que les serpents et les échelles, soit les facteurs qui peuvent vous faire dévier de votre objectif et les ressources qui, au contraire, peuvent vous aider à progresser dans l'atteinte de vos buts. Enfin, le jeu se complète par l'offrande, à savoir comment vous allez vous faire plaisir en poursuivant ce but, comment vous récompenser, comment vous encourager et maintenir votre motivation.

Retour sur le jeu: Plusieurs chercheurs suggèrent un lien significatif entre la gestion des buts personnels et le bien-être psychologique des individus. Le parcours peut être tout aussi plaisant que l'arrivée; il permet de vous réaliser ou de simplement réaliser que votre soif de vivre se perçoit par l'ensemble de vos projets de vie, petits et grands. Votre MEMO personnel vous aide sur le plan de l'accomplissement de vos objectifs en agissant non seulement sur votre confiance, mais également sur vos désirs de voir s'accomplir de nouveaux objectifs afin de poursuivre l'actualisation de votre plein potentiel.

MEMO de Stéphanie

(recommencer à faire de la natation)

Moment et échéance

À quel moment est-ce que je prévois commencer ?
Le 1er juin.

Est-ce un objectif à court, à moyen ou à long terme ?
À court terme.

À quel moment est-ce que je prévois le terminer ?
J'aimerais commencer par une année complète.

À quel moment est-ce que je l'inscris dans ma routine de vie ?
Les lundis et les mercredis soirs.

Endroit

Où ? (l'endroit propice à l'atteinte de mon objectif)
À la piscine olympique.

Moyens

Quelles sont les étapes de mon objectif ?
- M'informer des bassins libres ou clubs possibles.
- En parler avec mon conjoint pour établir un horaire possible.
- Aller m'acheter des lunettes et un maillot.

Mes  **:** Mes émissions de télévision, les invitations pour des sorties.

Mes  **:** Penser à ma santé, y aller avec Marie-Sophie.

Offrandes

Quels sont les moyens de me récompenser ?
Consacrer la soirée du jeudi à mes émissions.

Quels sont les moyens de m'encourager ?
Penser à ma forme et à ma condition physique.

Quels sont les moyens de maintenir ma motivation ?
M'inscrire à une compétition à la fin de l'année.

Le ménage du printemps

Les fleurs du printemps sont les rêves de l'hiver racontés le matin, à la table des anges.

Khalil Gibran

Objectif: Vous sentir plus léger, faire la paix avec le passé afin de vous en libérer et de pardonner (ce qui ne signifie pas oublier). Dans la vie, il arrive que vous vous sentiez fatigué et que vous ayez l'impression de tourner en rond. Au printemps, la lumière efface les rigueurs de l'hiver. Utilisez ce moment symbolique pour nettoyer de vieilles blessures et faites de la place à la nouveauté dans votre vie. Il est bien sûr possible de faire ce jeu à n'importe quelle saison de l'année.

Matériel requis: Balai, chiffon, produit nettoyant, grand sac à déchets.

Marche à suivre: Cette semaine, prenez un moment pour nettoyer: un tiroir pêle-mêle, un placard, les fenêtres (pour voir plus clair!), une pièce de votre maison, etc. Votre intention est pure: nettoyer le passé... Le ménage est simplement une action symbolique (ne devenez pas obsédé par la propreté!). Le printemps a un effet bénéfique sur la nature comme sur votre corps. Profitez-en pour manger moins gras et mettez plus de fruits et de légumes dans votre assiette.

Notez les actions concrètes que vous avez menées cette semaine dans votre processus de nettoyage (alimentation, découvertes, nouveautés, etc.).

Voici l'exemple d'Aurélie.

Dates	Actions	Intentions
Lundi	Nettoyage de mon bureau pendant 45 minutes.	Mon intention est d'avoir plus de clarté dans ma vie.
Mardi	Nettoyage de mon garde-robe pendant une heure.	Mon intention est de nettoyer les difficultés de l'hiver et ainsi faire de la place aux occasions.
Mercredi	Je rentre du travail irritée et fatiguée. Je nettoie et range un tiroir d'ustensiles de la cuisine.	Mon intention est d'éliminer toute la lourdeur du travail passé et de faire de la place pour une meilleure organisation.
Jeudi	Je mets dans un sac toutes les paires de chaussures que je n'ai pas portées depuis un an.	Mon intention est d'aller vers de nouvelles directions.
Vendredi	Je nettoie un placard de nourriture.	Mon intention est de mieux manger en toute conscience et en lisant les étiquettes des emballages.
Samedi	Je range un tiroir de la salle de bain.	Mon intention est de me délester du passé et d'accueillir du nouveau dans ma vie.
Dimanche	Je trie des livres sur mes étagères et je choisis d'en vendre ou d'en donner.	Mon intention est de faire du vide pour faire de la place aux nouvelles idées.

Retour sur le jeu: Comment vous sentez-vous après avoir nettoyé, rangé, lavé?

L'estime de soi

La pensée en laquelle vous croyez finit toujours par se produire, et la croyance en une chose est ce qui la fait se produire.

Frank Lloyd Wright

Objectif: Savoir comment vous vous percevez, vous ajuster et vous corriger. Après ce petit bilan, vous serez à même de vous apprécier à votre juste valeur.

Dans le développement de votre personne, l'estime de soi est à la base de vos actions, de votre vie. Elle se définit par la façon de vous regarder, de vous parler et de vous sentir. Dans la pratique, il s'agit d'entrer en vous pour y découvrir les perceptions que vous avez de vous-même et ainsi mieux définir l'image que vous avez de vous-même.

Matériel requis: Cahier, crayon.

Marche à suivre: Inspirez-vous des tableaux suivants pour noter dans votre cahier les phrases qui s'appliquent le plus souvent à vous. Observez vos dialogues intérieurs (les paroles, les regards que vous vous portez, les émotions et les sentiments que vous éprouvez face à vous-même, etc.).

Ma personne

Haute estime de soi	Basse estime de soi
J'apprécie mon physique.	Je me concentre sur un défaut.
J'apprécie mes qualités.	Je mets surtout l'accent sur mes défauts.
Je n'ai pas tendance à me comparer aux autres.	J'ai tendance à me comparer aux autres à mon désavantage.
Je me montre original.	Je me contente d'imiter les autres.
Je me considère *a priori* comme aimé des autres.	Je me méfie du regard des autres que je juge *a priori* hostile.
Je fais des remarques bienveillantes sur ma personne.	Je me montre très critique de moi-même et me donne des noms malveillants.
J'écoute les critiques des autres et les juge pertinentes ou non.	Je suis très sensible aux critiques des autres et m'en préoccupe outre mesure.
Je me console quand je commets des erreurs ou subis des échecs.	Je me blâme ou m'accable pour mes erreurs ou échecs.
Je multiplie les métaphores épanouissantes sur la vie.	J'entretiens des opinions négatives sur la vie.
Je rejette les fausses identifications qu'on me prête.	J'accepte les fausses identifications dont on m'accable.
Je me tiens droit et je suis sûr de moi-même.	Je prends un air abattu et déprimé.
J'accepte mes émotions et je sais les exprimer.	Je refuse d'accepter mes émotions et les refoule.
Je sais prendre de bonnes décisions selon une méthode efficace.	Je n'arrive pas à prendre la moindre décision, je reste toujours hésitant.

Mes aptitudes

Forte confiance en moi-même	Faible confiance en moi-même
J'ai une vue positive et optimiste de mes projets.	J'ai une vue négative et défaitiste de mes projets.
Je persévère malgré les obstacles et les échecs.	J'abandonne tout au moindre obstacle ou échec.
J'entretiens avec moi-même un dialogue optimiste et positif.	J'entretiens avec moi-même un dialogue pessimiste et négatif.
Je suis confiant de réussir.	Je redoute l'insuccès.
Je cours des risques.	Je ne cours aucun risque.
Je me rappelle mes succès passés.	Je me rappelle mes échecs.
J'accueille les compliments et les félicitations des autres.	Je me méfie des compliments ou des félicitations.
Je me sens stimulé par de nouvelles expériences.	Je me sens à l'aise dans la routine.
Je suis confiant d'être à la hauteur des tâches proposées.	Je crains de ne pas pouvoir accomplir les tâches demandées.
Je demande de l'aide et je suis confiant de l'obtenir.	Je suis gêné de demander de l'aide.
Je cherche le défi et l'aventure.	Je cherche avant tout la sécurité.
J'aime relever des défis comme celui de parler en public.	Je crains les regards et les commentaires du public.
Je me sens encouragé à la suite de mes réussites.	Je deviens stressé à la suite de mes réussites.

Tiré du livre de Jean Monbourquette, *De l'estime de soi à l'estime du Soi.*

Retour sur le jeu: Notez les changements survenus dans votre vie une semaine plus tard à la suite de la simple vision positive de votre personne et de vos aptitudes.

Le jardin intérieur

On s'étonne trop de ce qu'on voit rarement et pas assez de ce qu'on voit tous les jours.

Madame de Genlis

Objectif: Observer les pensées négatives qui vous empêchent de vous sentir bien et les remplacer par d'autres qui vous donnent de la vitalité et de la joie.

Matériel requis: Cahier, crayon.

Marche à suivre: Imaginez que votre esprit est un jardin. Vous pouvez y planter tout ce que vous désirez. Ce peut être des produits chimiques, toxiques (comme des pensées négatives, des distorsions cognitives, soit un traitement incorrect des informations dont vous disposez et qui vous mènent à des conclusions fausses et négatives dirigées contre vous-même ou les autres) tout autant que de belles pensées à votre égard. Faites d'abord un état des lieux et soyez conscient de votre pouvoir de création et de ce qui peut empêcher vos effort de se concrétiser.

Remplacez chaque produit chimique par autant de pensées positives que vous le pouvez. Il est important de rayer le produit toxique pour signifier que vous l'avez observé, reconnu et qu'il ne vous convient plus pour la création de votre jardin. Cultivez bio !

Voici l'exemple de François.

Pensées toxiques	Pensées créatrices (être en processus)
Je n'ai pas de valeur.	J'ai de la valeur.
Je ne suis pas intéressant.	Je suis intéressant.
Je ne suis pas digne d'être écouté.	Je suis digne d'être écouté.
Je suis méchant.	Je suis doux.
Je suis paresseux.	Je suis travaillant et doué.
	Je suis indulgent avec moi-même.
	Je sème et récolte la joie autour de moi et en moi.
(Servez-vous d'une situation où vous vous sentiez coupable, anxieux, en colère, triste, puis allez voir ce qui se cache derrière ces émotions, quelles sont les pensées qui les alimentent.)	(Pour créer votre jardin, écrivez l'opposé de la pensée négative ou ce que vous désirez dans votre vie.)

Inspiré du livre *Le moine qui vendit sa Ferrari*, de Robin S. Sharma.

Retour sur le jeu: Prenez l'habitude de faire ce jeu au moins une fois par jour, pendant une semaine. L'écriture vous permettra de bien comprendre vos mécanismes de pensées négatives. Par la suite, vous pourrez vous libérer de vos pensées toxiques plus facilement et ainsi créer votre jardin à votre nouvelle image !

La nouvelle épice de ma vie

Si vous avez de la difficulté à poursuivre vos passions, mettez de la passion dans vos poursuites.

Thomas Kinkade

Objectif: Mettre du piquant dans votre vie afin de vous rendre plus joyeux, plus alerte, plus réceptif, plus à l'écoute, plus proche de vous-même.

Matériel requis: Courage, brin de folie.

Marche à suivre: Vous voyez régulièrement des aventuriers escalader des montagnes, voyager partout dans le monde, pratiquer un sport extrême, etc. Mais l'aventure, c'est aussi être courageux et passionné dans tous les aspects de votre vie, que ce soit à votre travail ou dans vos relations. Soyez aventurier dans tout ce que vous faites en osant des changements dans votre routine. Oui, vous devrez sortir de votre zone de confort et surmonter certaines craintes. Amusez-vous à observer les petites évolutions et cherchez la magie dans tout ce qui vous semblait banal auparavant.

Voici des exemples:

- Saluer un étranger qui fait la file d'attente au supermarché ou dans un café;
- Cuisiner un légume que vous n'aviez jamais cuisiné auparavant;
- Brosser vos dents avec votre autre main;
- Prendre un chemin différent pour vous rendre au travail;
- Passer une journée sans allumer la télévision;
- Téléphoner à trois amis, etc.

Aujourd'hui, qu'allez-vous faire de différent pour devenir le héros de votre vie?

Retour sur le jeu: Qu'est-ce que cette activité a éveillé chez vous? Avez-vous trouvé ça difficile au début, puis avez-vous éprouvé un sentiment d'accomplissement?

L'ardoise magique

Le rôle du mental est de valider ce qu'il pense.

Byron Katie

Objectif: Observer les sensations physiques désagréables (points à la poitrine, barre à l'estomac, boule à la gorge, etc.) afin de les comprendre et de les libérer.

Lorsque vous étiez enfant, il vous est sûrement déjà arrivé de jouer avec la fameuse ardoise magique. Il s'agissait de faire des dessins et quand vous le vouliez, vous pouviez remuer l'ardoise et ainsi tout effacer. Dans votre vie, vous continuez le même processus avec les émotions. Vous vivez des événements et vous effacez le plus rapidement possible l'émotion qui y est associée, surtout lorsque celle-ci est désagréable.

Lorsque vous revivez un événement qui réveille l'émotion, vous allez ressentir un malaise... et c'est la résistance à voir ce qui se passe réellement en vous qui cause la souffrance, la douleur. Il n'y a qu'à constater le grand nombre de dépendances (alcool, drogues, médicaments, nourriture, achats, sexe, etc.) qui permettent d'éviter de vivre l'émotion.

Matériel requis: Cahier, crayon.

Marche à suivre: Prenez le temps de ressentir les sensations physiques que vous éprouvez quand un événement survient. Regardez ce à quoi vous résistez, accueillez-le, lâchez prise et respirez.

Pour cela, vous avez la possibilité d'écrire ou de vous dire comment vous vous sentez. Vous pouvez aussi vous demander à plusieurs moments de la journée:

«Comment est-ce que je me sens ici, maintenant?» et *respirez*.

Ensuite, il est important d'ajouter la phrase magique: «Et c'est correct!» qui permet d'accueillir tout ce que vous ressentez. Par exemple, si vous revenez du repas du midi et que vous vous dites: «Je me sens fatigué, j'ai envie de dormir ! », votre résistance va sûrement vous répliquer : « Non, ce n'est pas correct ! Il ne faut surtout pas dormir ! Tu as du travail à accomplir ! » À ce moment, vous niez, vous jugez ce que vous vivez. C'est ainsi qu'il faut distinguer ce qui est (« J'ai envie de dormir », qui ne veut pas dire que vous allez le faire) d'avec la résistance qui croit que vous allez dormir au lieu de travailler !

- Comment est-ce que je me sens à mon arrivée au travail ?
  Stressé = *C'est correct.*
- Comment est-ce que je me sens à mon retour de la pause du midi ?
  Fatigué = *C'est correct.*
- Comment est-ce que je me sens ici, maintenant ?
  Honteux = *C'est correct.*

Retour sur le jeu : Au bout d'une semaine, sentez-vous que vous êtes plus calme, plus doux avec vous-même, plus à l'écoute ?

Optimiser ma capacité d'émerveillement

Ni la contrainte ni la sévérité ne vous ouvriront l'accès à la vraie sagesse, mais bien l'abandon et une joie enfantine. Quoi que ce soit que vous vouliez apprendre, abordez-le avec gaieté.

Henry David Thoreau

Objectif: Vous émerveiller pour retrouver votre créativité et votre vitalité.

Vivez votre joie comme lorsque vous étiez enfant et que tout était possible ! Contrairement à ce que l'on voudrait souvent croire, l'émerveillement ne tombe pas du ciel. Il nécessite quatre vertus :

- le désir (l'envie d'aller vers la vie) ;
- le courage (ne pas se laisser vaincre par les difficultés) ;
- la persévérance (ne pas se laisser intimider par le succès, celui qui réussit ne doit pas s'arrêter, mais bien aller de l'avant) ;
- la gratitude (dire merci est une façon de clore les choses afin que d'autres puissent advenir).

Matériel requis : Cahier, crayon.

Marche à suivre : Il existe des grands enchantements qui nous charment à jamais. Et il y a également les petits bonheurs du quotidien. Comment cultiver le ravissement ou la passion ou le faire revenir quand il s'est enfui ? Qu'est-ce qui vous a enthousiasmé lorsque vous étiez enfant ? Les petites choses sont aussi à noter.

Voici l'exemple de la merveilleuse semaine de Camille.

	Déclencheurs de l'émerveillement
Lundi	Un enfant qui joue dans un parc.
Mardi	Le maïs qui se transforme en popcorn.
Mercredi	Voir s'afficher sur le réveil 11:11.
Jeudi	L'architecture d'un bâtiment sur mon chemin quotidien.
Vendredi	Une fleur qui n'était pas là hier.
Samedi	Un nouveau légume de saison coloré.
Dimanche	Une luciole.

Retour sur le jeu: Comment vous sentez-vous après avoir porté attention aux émerveillements tout au long de votre semaine?

La communication authentique

*Les non-dits font boule de neige
de leur vapeur trop étouffante.*

Auteur inconnu

Objectif: Apprendre à exprimer ce qui vous agace à l'intérieur lors d'une situation conflictuelle. Tout doit se faire dans l'accueil de soi, avec gratitude pour votre interlocuteur. En effet, celui-ci est souvent le déclencheur qui vous a permis de toucher à ce qui a été enfoui pendant des années même si la situation paraît anodine.

Matériel requis: Travail de communication orale qui peut aussi se faire par écrit, à l'ère des courriels et autres moyens d'écriture.

Marche à suivre: Apprenez à ressentir ce petit quelque chose qui vient vous chercher au moment d'une conversation avec une personne avec qui vous vous sentez mal à l'aise. Prenez la responsabilité de votre état, même si tout porte à croire que c'est l'autre qui l'a provoqué. Remerciez intérieurement votre interlocuteur de vous donner la possibilité de libérer et de vivre ces émotions. Accueillez votre inconfort et apprenez à le formuler verbalement ou par écrit de façon à pouvoir l'exprimer.

Le dialogue qui suit peut vous donner une idée d'une communication authentique.

Annie : J'adore ce que je suis en train de vivre avec mes chats. Ils viennent dormir près de moi et c'est tout un concert de ronrons !

Georges (Ça pique à l'intérieur, je remercie mon interlocutrice, je vais lui exprimer ce que je ressens.) : Puisqu'on s'est dit que c'était bon d'être authentique, j'ai besoin de te partager que je n'aime pas dormir avec les chats. Je trouve cela sale et inapproprié de les avoir dans un lit.

Annie (Oups ! Ça pique vraiment, merci, bel être, de me donner l'occasion de faire sortir cette ombre.) : Je te remercie d'avoir partagé ton ressenti. De mon côté, quand tu me dis ça, ça vient piquer là où ça piquait quand mon père ne voulait pas que j'aie de chat dans la maison parce qu'il *disait que c'était sale... Dans le cas présent, ça me fait me sentir sale et imparfaite.*

Georges a accueilli encore une fois sa compagne dans une belle écoute et une présence hors du commun. Annie se sent mieux de ne pas avoir refoulé ça une énième fois. Elle se sent légère et accomplie.

Retour sur le jeu: Il est important de noter que tout le monde n'est pas prêt à vous accueillir dans vos ressentis. Faites d'abord le chemin pour vous. Ensuite, partagez-le avec des gens qui sont proches de vous et qui vous accueilleront avec douceur tout en sachant que vous avez besoin de vous accueillir dans vos blessures avant d'être accueilli par les autres.

L'avenue de mes objectifs professionnels

L'autocoaching

En acquiesçant à ce qui est, vous vous alignez sur le pouvoir et sur l'intelligence de la vie même. Alors seulement vous pouvez devenir un agent de changement positif dans le monde.

Eckhart Tolle

Objectif: Accroître votre capacité d'autoévaluation et développer vos réflexes à vous donner de bons conseils pour bien gérer votre sphère professionnelle, à la façon d'un coach personnel qui vous prodiguerait les bonnes stratégies de gestion.

Matériel requis: Cahier, crayons de couleur.

Marche à suivre: Tout comme le ferait un coach de sport professionnel, vous êtes invité à faire les mêmes démarches dans votre travail. Afin d'explorer la motivation de son «élève», l'entraîneur poserait donc plusieurs questions importantes dès le début de la démarche d'entraînement pour bien cibler les objectifs de l'élève et s'assurer de l'emmener là où il veut réellement se rendre. À l'instar de ce coach, vous devez établir votre plan de match. Vous avez le meilleur coach que vous puissiez avoir, celui qui vous connaît le plus, vous!

Comme tout bon coach, il faut prévoir des stratégies pour savoir comment maintenir l'effort face aux objectifs, comment ne pas perdre de vue les étapes à franchir, comment vous motiver avec certaines phrases, comment vous aider à vous retrouver et à vous rediriger quand vous vous êtes perdu dans certains événements de vie, etc.

Dans un premier temps, vous devez remplir dans votre cahier la grille de l'autocoaching; voici l'exemple de Valérie.

Grille de l'autocoaching

Cinq réflexions sur la motivation et sur les buts à atteindre	
Quels sont vos objectifs de carrière ?	Devenir cadre. Gérer une équipe.
Quel est votre objectif salarial ?	75 000 $
Quel est votre environnement idéal de travail ?	Une entreprise internationale.
Qu'est-ce que vous êtes prêt à faire pour atteindre vos objectifs ?	Augmenter mon temps de travail. Consulter un spécialiste en cheminement de carrière.
Combien de temps vous accordez-vous pour l'atteinte de vos buts ?	Cinq ans.

Bien entendu, vous dressez ici un portrait idéal de votre situation professionnelle souhaitée. Sachez que certains éléments ne sont pas uniquement de votre ressort, vous avez parfois à composer avec certaines limites de votre contexte de travail ou de votre vie en général, mais vous pouvez déjà avoir une image qui correspond à vos propres aspirations.

Dans un deuxième temps, vous devez déterminer votre courbe de progression. Par rapport à votre ligne de satisfaction optimale, vous devez établir votre progression en explorant le degré de satisfaction des trois premières questions du tableau précédent en fonction de votre satisfaction passée et actuelle. Vous pouvez utiliser une couleur différente par question pour mieux voir vos courbes de satisfaction. L'exemple de Valérie, qui se trouve ci-dessous, vous renseigne sur la façon de remplir votre graphique avec la variable de satisfaction (en pourcentage) et les objectifs que vous vous êtes établis.

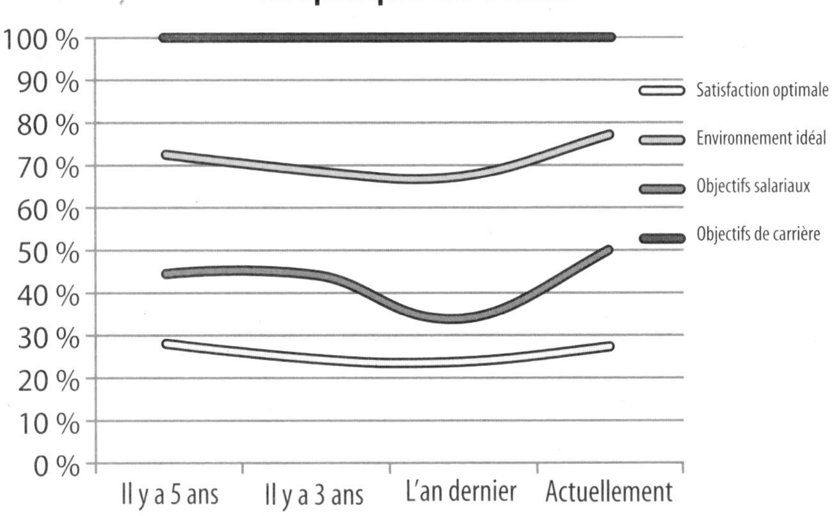

La dernière étape est le fameux discours de motivation. Écrivez un petit discours inspirant et motivant pour vous aider dans vos démarches professionnelles.

« Tu es une personne qui ira loin !
Pense à tous les autres projets que cela
te permettra d'accomplir. Tu es et tu seras
toujours une battante ! Continue tes efforts ! »

Retour sur le jeu: Le coaching vous oriente vers une meilleure exploitation de votre potentiel. Il vous aide à cibler si vous êtes en harmonie avec vos objectifs professionnels. Dans la négative, vous pouvez rectifier votre plan de match comme un coach le ferait pour son athlète. À vos sifflets !

La pyramide professionnelle

Le difficile n'est pas de monter,
mais en montant de rester soi.

Jules Michelet

Objectif: Analyser votre sphère professionnelle afin de voir si elle répond à vos besoins d'actualisation de vous-même.

Matériel requis: Cahier, crayon.

Marche à suivre: « Le travail est la chose la plus précieuse du monde, c'est pourquoi il faudrait toujours en garder pour le lendemain. »

Don Herald

De tous les temps, la sphère professionnelle fait l'objet de bien des citations et de réflexions. Elle est l'une des sphères les plus étudiées, observées, analysées, citées. Pourquoi? Sans doute parce que vous y passez une bonne partie de votre vie et que celle-ci peut vous aider à répondre à vos besoins tant physiologiques que psychologiques. Il s'avère donc important de tenter d'y trouver votre compte, mais encore faut-il bien vous connaître et être capable de reconnaître vos objectifs et besoins propres par rapport à votre travail.

La pyramide de Maslow qui suit peut vous aider à dresser une liste de ce que vous pouvez rechercher à combler ou à accomplir dans votre travail. Cette pyramide établit les cinq grands besoins existentiels, tous aussi nécessaires les uns que les autres et interdépendants pour atteindre l'actualisation de son plein potentiel.

L'exercice est simple: il s'agit d'établir votre propre pyramide professionnelle en priorisant vos besoins et en évaluant si votre emploi vous permet, ne vous permet pas, ne vous permettra pas ou vous permettra de satisfaire vos besoins. Tout comme la pyramide de Maslow, la vôtre vous aidera à mieux comprendre certains de vos choix professionnels ou à faire certains choix de façon plus éclairée. Il faut cependant vous rappeler que vous êtes constamment en mouvement et donc que vos besoins et perceptions peuvent également changer selon les contextes et les priorités de vie.

La pyramide de Maslow

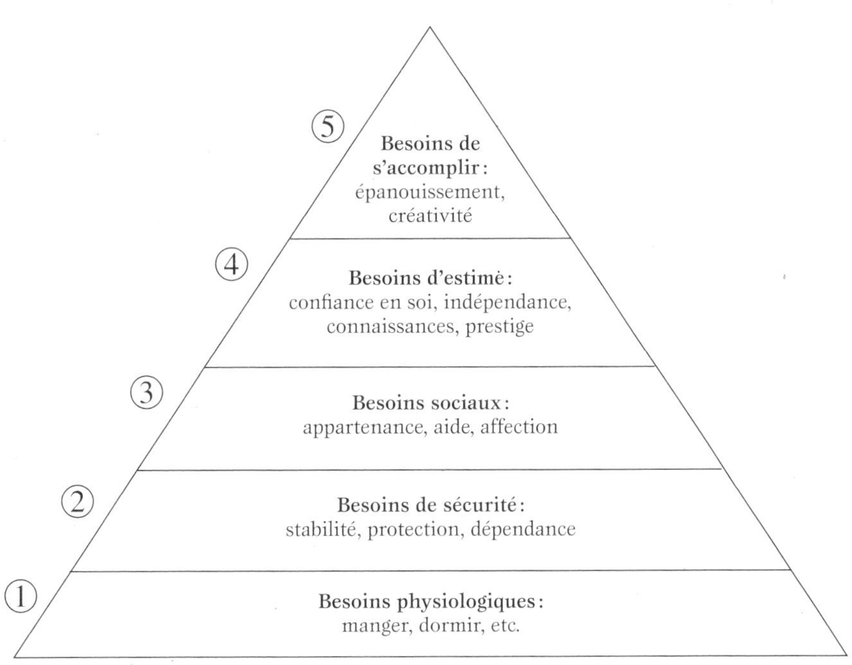

Voici l'exemple de la pyramide professionnelle de Jean-Philippe :

1. Besoin de me nourrir et de payer mes factures ;
2. Besoin d'avoir ma sécurité d'emploi, de l'avancement ;
3. Besoin de me sentir impliqué dans mon travail, de faire partie de l'équipe ;
4. Besoin de sentir que j'apporte quelque chose à l'entreprise, que mon travail est significatif ;
5. Besoin de m'y plaire, de m'accomplir au travail.

Retour sur le jeu : Après avoir établi vos besoins, vous pouvez par la suite savoir si vos choix professionnels répondent (ou pourront répondre) et satisfont (ou pourront satisfaire) à vos besoins.

L'évaluation de vos cinq besoins peut se faire en plaçant les signes (-) ou (+) en ce qui a trait à leur satisfaction. Ainsi :

Ne me permet pas : (-)	Ne me permettra pas : (-)
Me permet : (+)	Me permettra : (+)

En effectuant le retour sur ce jeu, vous pouvez ainsi faire ressortir les différents moyens qui pourront vous permettre de rester dans la zone du (+, +), soit la zone souhaitée. Ou alors, vous pourrez mieux comprendre certains de vos choix ; par exemple : « L'emploi ne me permet pas de répondre à mes besoins (-), mais je reste parce que j'ai le sentiment qu'il pourra éventuellement y répondre (+). »

De plus, il peut s'avérer très intéressant de construire une pyramide pour chaque sphère de votre vie.

Les masques

Si tout le monde n'est pas beau,
alors personne ne l'est.
Andy Warhol

Objectif: Être capable de reconnaître certains de vos comportements autosaboteurs dans votre sphère professionnelle (ou dans votre vie en général) et de vous en dégager.

Matériel requis: Aucun.

Marche à suivre: Lisez les différents masques portés au travail et réfléchissez à ceux qui vous correspondent le plus.

Au travail comme dans plusieurs autres domaines, nous pouvons soit nous faciliter la vie, soit être notre propre saboteur. Il peut s'avérer amusant de déterminer quels masques vous tendez à porter dans la sphère professionnelle.

- **Le masque d'Yvon ou de Josée** est celui du «Qu'est-ce qu'*Yvon* (que les autres vont) dire ou le *Josée* pas dire. Trop de personnes ont peur de déplaire, de se ridiculiser, même si elles ont de bonnes idées. Yvon est souvent et particulièrement génial, mais il ne donne malheureusement pas la chance aux autres de le réaliser. D'ailleurs, sans doute ne le réalise-t-il pas lui-même.
- **Le masque de Germaine** est le plus connu. Celui-ci *Gère* et *Mène*, il a souvent un poste de gestionnaire. Puisqu'il s'est responsabilisé très tôt à effectuer plusieurs tâches en solitaire, il oublie parfois d'être à l'écoute ou de tenir compte des idées ou façons de faire des autres. Il n'apprécie pas que les choses ne soient pas faites à sa façon, mais il s'épuise également à vouloir tout faire seul.
- **Le masque de Denis** est le masque du *Déni*. Souvent associé à l'autruche qui enfonce sa tête sous la terre, Denis a tendance à éviter de voir les différents problèmes non résolus. Ainsi, il ne les résout pas, il accumule les dossiers et il vit un stress au début gérable, mais qui l'est rapidement moins et se transforme même en angoisse.

Denis n'arrive plus à définir ce qui le tracasse tellement il est habitué à l'éloigner de sa conscience.

- **Le masque de Gaétan** est celui du *Guettant* tout ce qui se passe. Il est facilement distrait, il tend l'oreille à toutes les conversations, ce qui l'éloigne souvent de ses tâches et mandats. Il est perçu comme celui qui sait ce qui se passe au bureau, celui qui connaît les potins et celui qui propage trop souvent les rumeurs.
- **Le masque de Pierre** est celui qui jette la *Pierre*. Il a le réflexe de critiquer ses collègues, ses employeurs, son travail, le peu d'aide qu'il reçoit à la maison... Au début, il est apprécié car les gens se sentent compris par rapport aux malaises qu'ils vivent aussi. Peu à peu, les gens s'éloignent parce qu'il crée et alimente une mauvaise ambiance. Il fait en sorte de se rappeler et de rappeler aux autres à quel point il peut être pénible de travailler et que les journées peuvent être longues.

Retour sur le jeu: Les différents masques sont présentés ici de façon exagérée et sont à envisager avec humour. Il s'agit de comportements qu'on a tous parfois tendance à adopter. L'exercice consiste donc à vous faire prendre conscience de certains de vos masques et à penser qu'il vaut mieux parfois les ôter et apprécier à nouveau votre vrai visage.

Le test de la pile et l'ordonnance

Le secret pour avoir de la santé est que le corps soit agité et que l'esprit se repose.

Vincent Voiture

Objectif: Développer votre capacité à évaluer votre état général afin d'établir vos besoins et moyens de prendre soin de vous.

Matériel requis: Crayon, test diagnostique de votre pile, ordonnance.

Marche à suivre: Comme vous êtes la personne qui vous connaissez le mieux, vous êtes également la mieux placée pour faire votre bilan de santé et donc évaluer vos besoins afin de pouvoir y répondre adéquatement. La première étape de ce jeu consiste à observer votre condition générale et à établir le diagnostic de votre pile de vie.

Pour vous aider, l'image de la pile vous est suggérée pour dresser le portrait de votre état général. Vous devez d'abord évaluer votre énergie globale avec l'aide d'une pile graduée où vous devez noircir le niveau d'énergie ressenti en général ces derniers temps (dans les dernières semaines, par exemple) en notant également vos observations personnelles.

Voici l'exemple du test diagnostique de la pile de Mario.

100 %
90 %
80 %
70 %
60 %
50 %
40 %
30 %
20 %
10 %

Je me sens à 70 % de ma forme générale.

Mon degré de satisfaction de mon énergie générale:

Satisfait ❑ À améliorer ✓ Insatisfait ❑

Autres observations:

- plus fatigué le matin, etc.

Une fois le diagnostic établi, vous devez faire votre pronostic, c'est-à-dire établir votre perception quant à vos moyens de vous en remettre, de recharger pleinement votre pile. Vous devez donc vous prescrire de bonnes choses afin d'optimiser votre vitalité; cela peut être un mot, une action, une intention... Enfilez votre blouse de médecin pour vous proposer les meilleurs soins et remplissez l'ordonnance suivante. Voici l'exemple de l'ordonnance de Mario.

Date: 13 / 04 /2011

Ordonnance pour: Mario P.

Impressions diagnostiques. État général de la pile de vie évalué à _70_ %.

Pronostic sur le temps de récupération, soit le temps nécessaire pour la «convalescence», pour prendre soin de vous.

Estimé en termes de minutes ❑, d'heures ❑, de jours ✓,
de semaines ❑, de mois ❑, d'années ❑.

- Faire attention à l'heure du coucher pour les trois prochains jours.

Posologie. Aujourd'hui (ou cette semaine, ou ce mois-ci, ou cette année), vous avez besoin:

- de pratiquer des techniques de relaxation avant le coucher;
- d'aller boire une tisane avec vos amis.

Moyens pour vous procurer la posologie:

- Appeler François pour parler;
- Retrouver mon disque de relaxation;
- Éteindre mon téléphone après 21 h 30.

Signature de l'ordonnance et de cette entente avec vous-même.

____

Mario P.

Retour sur le jeu: Le simple fait de vous questionner sur votre énergie générale permet de comprendre bien des choses. Par exemple, si cela fait déjà un bon bout de temps que votre pile se trouve à 50 % et moins, sans doute vous sentez-vous plus souvent fatigué et ressentez-vous rapidement le besoin de vous reposer et de récupérer votre énergie. Vous n'êtes plus dans un mode de profiter des occasions et activités de la vie, mais bien dans un mode d'économie d'énergie. Votre intérêt général peut en être très affecté. Tout comme les piles de vos appareils électriques, il faut savoir faire des cycles complets de recharge et ne pas attendre qu'elle soit complètement à plat.

L'ordonnance vous aide à redevenir votre meilleur allié. Le fait de la signer renforce votre engagement envers vous-même. Comment avez-vous apprécié votre rôle de médecin? Pensez à déterminer le seuil limite en dessous duquel il vous faudra une nouvelle ordonnance, n'attendez pas de devoir faire appel à un vrai médecin!

L'avenue de mes phrases clés

Le Yoda personnel

Ce ne sont pas les richesses qui font le bonheur,
mais l'usage qu'on en fait.

Miguel de Cervantès

Objectif: Vous rappeler certains conseils de vie que vous vous donnez et penser aux valeurs qui vous sont précieuses, à la façon d'un sage. Ce jeu se concrétise dans le temps ; il peut s'échelonner sur plusieurs jours, au fil de votre réflexion quotidienne.

Matériel requis: Cahier, crayon.

Marche à suivre: Vous devez trouver 10 conseils ou règles de vie que vous désirez privilégier. Les conseils de vie sont vos prises de conscience, vos valeurs, ce qu'il y a d'important dans votre vie.

Si vous avez de la difficulté à dénicher des conseils, pensez à une personne qui vous est chère (par exemple, votre enfant) et aux conseils que vous voudriez lui donner pour qu'elle prenne bien soin d'elle, qu'elle puisse pleinement et bien vivre sa vie.

Voici l'exemple des conseils de vie de Flora :

1. Prends les choses avec humour ;
2. Écoute les autres, mais n'oublie pas de t'écouter aussi ;
3. Ose dans ce qui vaut la peine ;
4. Suis tes instincts ;
5. Aime et laisse-toi aimer, fais confiance ;
6. Respecte-toi comme tu respectes les autres ;
7. Amuse-toi ;
8. Travaille et sache te récompenser ;
9. Entoure-toi de personnes qui te veulent du bien ;
10. Sois responsable de ton bonheur.

Retour sur le jeu: Les conseils de vie sont en quelque sorte votre ligne de conduite. D'ailleurs, suivez-vous vos propres règles de vie? Réfléchissez-y. Il peut être amusant de déterminer votre pourcentage de Yoda personnel en mettant une note de 0 à 10 à chacun des conseils, 0 signifiant que vous n'appliquez pas votre conseil et 10 signifiant que vous l'appliquez pleinement. En additionnant les notes, vous obtiendrez votre pourcentage. Quelle est votre note? Êtes-vous surpris? Que proposez-vous pour bien suivre vos conseils de vie?

Mes phrases programmes de l'inconscient

Écrire, c'est la meilleure façon de s'exprimer sans être interrompu.

Jules Renard

Objectif: Trouver des pensées automatiques (nos phrases programmes), les désactiver et en créer de nouvelles.

Matériel: Cahier, crayon.

Marche à suivre: Nous avons tous des phrases qui nous propulsent, nous arrêtent ou nous figent dans la vie. Celles-ci nous viennent de très loin. Elles ont un impact majeur dans notre quotidien, car elles sont chargées d'émotions. Elles sont des programmes comme on en trouve dans un ordinateur. Elles se manifestent dans notre vie en une fraction de seconde et repartent aussi vite qu'elles sont venues. Pour déceler ces phrases programmes, nous devons retrouver les mots clés à l'intérieur de nos phrases qui sont comme des codes d'accès à notre mémoire inconsciente.

Prenez le temps de remarquer si, dans cette liste, il y a des mots clés que vous utilisez généralement: «Il faut», «Il n'a pas le droit», «Toujours», «Jamais», «C'est toute ma vie», «C'est ma mort». Vous en connaissez peut-être d'autres. Il revient à vous de vous souvenir de ces mots clés qui sont importants.

Un autre indice pour repérer vos phrases programmes est la répétition d'une phrase et des phrases programmes. Inscrivez la ou les phrases qui contiennent ces mots clés; par exemple: «Attendre dans le trafic, c'est ma mort.» Cette toute petite phrase, qui paraît bien innocente, a beaucoup plus d'impact sur votre vie que vous le pensez.

Si on décortique la phrase, on remarque trois mots clés: attendre, trafic et mort.

Si toutes les fois qu'on vit de *l'attente* quand on est coincé comme dans le *trafic* et que cela nous fait vivre une certaine *mort*, voilà un programme de vie qui irradie dans notre quotidien. Alors, quoi faire ? Si cela vous empêche de bien fonctionner dans le quotidien, il serait bon de consulter pour trouver la source de l'événement qui a généré votre phrase programme.

Vous avez le pouvoir de modifier en créant des nouvelles phrases programmes qui auront un impact plus positif dans votre vie. Voici un exemple :

Phrase programme : « Il faut que je fasse mes comptes. »

Nouvelle phrase programme : « J'aimerais faire mes comptes. Je me sentirais plus tranquille. »

La démarche est simple. Il vous suffit de l'écrire, de l'afficher sur votre frigo, votre miroir de la salle de bain ou au bureau, et de la lire le plus souvent possible pendant le premier mois.

Retour sur le jeu : Constatez l'effet de votre démarche. Vous pouvez également modifier votre nouvelle phrase programme.

Mes 25 vérités spontanées

Il semble que la perfection soit atteinte non quand il n'y a plus rien à ajouter, mais quand il n'y a plus rien à retrancher.

Antoine de Saint-Exupéry

Objectif: Dresser un portrait spontané de votre personnalité et, au final, vous surprendre par certaines de vos réponses automatiques qui guident votre vie.

Matériel requis: Cahier, crayon.

Marche à suivre: Dans un cahier, complétez les phrases suivantes le plus rapidement possible, sans réfléchir. Si vous n'avez pas de réponse, allez directement à l'autre pour y revenir ultérieurement. Écrire vos réponses ne devrait pas prendre plus d'une minute, car il faut éviter l'analyse et obtenir la réponse la plus spontanée possible. Aucun exemple ne vous est fourni puisque nous ne voulons pas vous influencer.

1. La vie, c'est...
2. Un homme est là pour... et une femme pour...
3. Si je pouvais améliorer une chose, ce serait ...
4. La famille est là pour...
5. L'argent amène...
6. On étudie pour... (ou on travaille pour...).
7. Je veux de bonnes notes parce que...
8. L'amour est...
9. Les journées me paraissent...
10. Ma principale règle de vie est...
11. La santé, c'est tout d'abord...
12. La réussite signifie... Pour y parvenir, il faut...
13. Pour moi, un ami est une personne qui...
14. Être bien signifie pour moi...
15. Pour moi, la différence entre l'amour et l'amitié est...

16. Idéalement, je serais comblé si...
17. J'ai raison lorsque je dis que...
18. L'émotion que je ressens le plus souvent est...
19. À mes yeux, ce qu'il y a de plus important est...
20. Le bonheur est accessible par...
21. Mon passé m'a enseigné...
22. Pour moi, avoir des projets, c'est de réaliser...
23. Présentement, je...
24. L'une de mes plus grandes peurs est de...
25. L'un des points tournants de ma vie a été lorsque...

Retour sur le jeu: Ce jeu des 25 vérités spontanées aide à réaliser que vous conduisez peut-être certaines zones de votre vie sur le pilote automatique et à être en mesure de reprendre les guides, le contrôle de certains de vos comportements plus consciemment, de changer de trajectoire, de vitesse. Ainsi, il peut être intéressant d'observer quelles phrases ont été plus difficiles à compléter et de vous demander pourquoi il en a été ainsi. Désirez-vous également améliorer certaines réponses? Ou alors, quelles sont les phrases qui vous surprennent et dont vous êtes fier?

Le jeu de la plume, du brouillon à l'écrivain

Le récit n'est plus l'écriture d'une aventure,
mais l'aventure d'une écriture.

Jean Ricardon

Objectif: Favoriser l'écriture comme outil d'expression.

Matériel requis: Cahier, crayon.

Marche à suivre: Lisez les énoncés suivants et observez ceux qui déclenchent en vous le besoin d'écrire.

- Si vous écrivez dans un carnet de voyage, alors pourquoi ne pas le faire pour d'autres bonnes raisons? Écrivez ici pour des raisons du cœur, professionnelles, personnelles, pour vous guider et mieux vous connaître.
- Parfois, vous pouvez vous sentir incapable de trouver les mots justes alors qu'il y a tant de choses à dire. Alors, prenez votre plume et suivez les pages du livre pour écrire qui vous êtes.
- Quand vous n'arrivez pas à savoir ce qui se passe, exprimez dans vos mots vos sentiments, un événement, une pensée ou un état d'être.
- Pour ne plus jamais être seul et nourrir ainsi votre silence.
- Parce que vous trouvez une liberté totale et que vous pouvez en abuser jusqu'à l'ivresse.
- Pour déposer vos préoccupations.
- Écrire pour votre plaisir à l'occasion.
- Pour observer votre évolution.
- Pour mesurer votre capacité de transmettre votre pensée par écrit.

Il existe plusieurs aspects pour stimuler le rituel d'écriture et d'exercices pratiques. On dit qu'une image vaut mille mots, l'écriture a donc pour effet d'obtenir un portrait de nous sur les principaux angles de notre vie. C'est un peu comme nous regarder dans un miroir qui reflète différents aspects de notre vie : personnel, professionnel, familial, social, psychologique, physique, etc. Nous pouvons mieux nous comprendre par le seul fait d'observer notre écriture en nous relisant et en pratiquant dans notre quotidien.

Le fait de mettre par écrit nos limitations, les événements de la vie, nos perceptions, nos états d'âme et nos émotions permet, dans un premier temps, de nous en dégager et d'enlever des tensions internes inutiles. C'est un peu comme les ranger dans un tiroir. Dans un deuxième temps, lorsque nous transposons notre pensée vers l'écriture, cela active le processus de guérison.

Voici un exemple extrême : « Si je perds la personne la plus importante dans ma vie affective et, du même coup, mes revenus, il se crée un immense vide et une grande peine. Je peux percevoir cela comme une fin en soi et je suis en mode survie. »

C'est à ce moment qu'il devient impératif d'enclencher une démarche personnelle.

Être dans un processus de constat, d'observation de notre évolution en nous relisant nous permet de nous observer sur plusieurs angles. Aujourd'hui, avec tous les changements rapides dans nos vies effrénées, cela accentue notre évolution. Le seul fait d'écrire peut enclencher la réflexion, l'observation et les solutions. Si vous trouvez des solutions sur papier ou en pensée, vous faites en sorte d'amener votre être vers la guérison même si les solutions ne sont pas encore applicables concrètement dans votre quotidien. L'important est que le cerveau reçoive le signal du mécanisme vers un processus de solution.

Lorsque vous écoutez votre petite voix intérieure, votre vision est nettement plus grande. Que ce soit pour une relation, un statut, de l'argent, observez vos peurs, préservez ou sortez de votre zone de confort. Trouvez simplement la raison pour laquelle vous avez une décision à prendre, cela vous permettra d'observer d'abord la situation et les enjeux personnels, puis de faire des choix selon vos limitations.

Retour sur le jeu : Y a-t-il un élément qui puisse vous stimuler à écrire ?

Le sac à main

Suivez les trois «r»: respect de soi-même, respect des autres, responsabilité de tous vos actes.

Dalaï-Lama

Objectif: Vous responsabiliser et ainsi reprendre le contrôle sur votre existence À certains moments de votre vie, vous pouvez vous plaindre des autres parce qu'ils ne vous respectent pas. L'image du sac à main est égale à votre intérieur. Ce sac est votre propriété privée, il n'appartient qu'à vous.

Matériel requis: Cahier, crayon.

Marche à suivre: Si vous avez le sentiment d'être débordé, que personne ne s'occupe de vous, que les enfants, la famille, les collègues de travail profitent de vous mais ne vous rendent pas la pareille, il se peut que votre sac à main soit grand ouvert! Ainsi, les gens se servent librement, vous demandent plusieurs services, et vous avez l'impression que vous ne pouvez pas dire non.

À partir d'aujourd'hui, reprenez votre sac à main, mettez vos limites et choisissez ce que vous voulez donner ou pas!

Dans quelles sphères (couple, famille, travail, amis...) avez-vous l'impression que votre sac à main est ouvert?

Voici l'exemple de Martine.

- Couple: «J'ai dit que je réparerai le pantalon de mon mari en fin de semaine au lieu de le faire à la course avant d'aller au travail.»
- Famille: «J'ai proposé à mes adolescents une nouvelle organisation pour le transport aux activités plutôt que d'être leur taxi attitré.»
- Amis: «J'ai suggéré à mes amis une formule où chacun apporte un plat pour notre souper rencontre qui a lieu chez moi au lieu de

passer la journée à cuisiner et d'être stressée à cause du temps qui passe trop vite.»

Retour sur le jeu: Au bout d'une semaine, croyez-vous que le fait d'avoir mis vos limites, en donnant ce que vous vouliez donner, vous permet d'être plus en contrôle de votre vie?

L'avenue de mes idées de génie

Pensées et souvenirs

Bien émouvants sont les souvenirs des souvenirs.

Stanislaw Jerzy Lec

Objectif: Vous rappeler de bons moments, remettre en lumière certains de vos souvenirs enfouis afin de vous créer d'autres occasions et moments qui s'y rapprochent.

Matériel requis: Crayon, cahier.

Marche à suivre: En créant une ambiance confortable, prenez le temps de répondre aux questions suivantes.

Voici l'exemple des pensées et souvenirs de Jasmine.

1. Une chose dont je veux me souvenir toute ma vie:
   La beauté du Grand Canyon.
2. Une chose que j'aimerais me rappeler plus souvent:
   L'écriture me fait du bien.
3. Une chose à laquelle je croyais auparavant et à laquelle je ne crois plus maintenant:
   La jalousie est synonyme d'amour.
4. Une personne à qui je veux penser plus souvent:
   Ma grand-mère.
5. Une chose à laquelle j'aimerais arrêter de penser:
   La rancune que j'entretiens envers Pierre.
6. De mon expérience actuelle, une leçon que j'ai tirée de la vie:
   Le passé n'est pas garant du futur.
7. Une phrase que je ne veux pas oublier:
   Ne prends pas la personnalité des autres, elle est déjà prise.
8. Une chose que j'aimais faire dans le passé et que je veux refaire:
   Du camping.

9. Ce à quoi j'aime bien penser:
   Mes chats.
10. Un de mes souvenirs les plus cocasses:
   Quand Guylaine a glissé en marchant sur son foulard.

Retour sur le jeu: Votre cerveau garde en mémoire une multitude d'images, de souvenirs que vous avez tendance à oublier avec la routine du quotidien. Ce jeu vous permet de vous rappeler ce que vous aviez oublié, ce que vous vouliez vous rappeler plus souvent et de prendre certains moyens pour recréer en vous des moments mémorables.

Pour que les bénéfices de ce jeu ne soient pas que ponctuels mais qu'ils se maintiennent dans le temps, vous pourriez le coller sur votre frigo, le partager avec vos proches avec qui vous avez eu ces instants heureux ou, mieux encore, le garder sur vous afin de le consulter à votre guise, ce qui peut être très pratique si vous vivez des moments pénibles.

Mes meilleures idées

Le bonheur est quelque chose
qui se multiplie quand il se divise.

Paulo Coelho

Objectif: Réussir à capter vos meilleures idées sur papier avant qu'elles s'envolent.

Matériel requis: Carnet de poche, crayon, ou petit magnétophone.

Marche à suivre: Dès que vous avez une idée éclair, écrivez-la immédiatement ! D'ailleurs, comme le dit le vieil adage, les paroles s'envolent et les écrits restent. Si on n'écrit pas nos idées, on ne les retient pas.

Cette avenue peut vous apporter beaucoup. Vos grandes comme vos petites idées sont vos sources d'inspiration. Si vous prenez le temps de les écrire, elles sauront vous aider dans l'actualisation de votre destinée, de votre mission, de vos passions ou elles pourront simplement mettre en relief ce qui vous attire dans la vie. Ne filtrez pas les informations même si elles vous semblent étranges ou farfelues. Ne vous censurez pas, écrivez-les tout simplement.

Exemple : Josée a écrit un livre en compilant des citations personnelles dans un petit carnet.

Retour sur le jeu: À quoi peuvent vous servir les idées écrites dans votre carnet pour votre vie personnelle ou professionnelle ?

La carte au trésor

Le vrai porte-bonheur, c'est la marguerite à quatre pétales...
Elle ne tombe jamais sur « pas du tout ».

Patrick Sébastien

Objectif: Découvrir ce dont vous avez vraiment besoin, au plus profond de vous, de manière intuitive et non rationnelle.

Les images parlent à notre cerveau d'une manière différente des mots. Elles sont plus puissantes que vous le pensez. Prenez l'exemple de la publicité !

Matériel requis: Magazines, circulaires, paire de ciseaux, carton, colle.

Marche à suivre: Découpez des images qui vous parlent et collez-les sur un carton de 10 cm x 20 cm.

Si vous avez le temps et l'envie, vous pouvez faire le même exercice en suivant des thématiques différentes ; par exemple : famille, avenir, travail, bien-être, etc.

Laissez aller votre créativité ! Redécouvrez l'innocence que vous aviez quand vous étiez enfant. Vous pouvez aussi noter vos états d'âme et émotions qui referont surface.

Retour sur le jeu: Vous pouvez montrer vos cartes à un proche en qui vous avez confiance. Échangez sur vos impressions, sur vos découvertes, sur vos aspirations.

La rigolothérapie

Le rire, comme les essuie-glaces, permet d'avancer même s'il n'arrête pas la pluie.

Gérard Jugnot

Objectif: Stimuler la joie de vivre, l'optimisme, la créativité et, de manière plus générale, favoriser la bonne santé mentale et physique.

Selon plusieurs neurologues, une minute de rigolade équivaut à 45 minutes de relaxation. Voici quelques bénéfices sur la santé corporelle :

- libérer les voies respiratoires ;
- rééquilibrer l'appareil cardiovasculaire ;
- mieux digérer ;
- préparer un bon sommeil ;
- calmer la douleur ;
- rétablir l'humeur ;
- renforcer le système immunitaire ;
- vous muscler ;
- vous embellir, etc.

Matériel requis: Votre ouverture d'esprit.

Marche à suivre: Trouvez des lieux pour pratiquer le rire ; par exemple, sous la douche, en vous habillant, dans la voiture, sur votre vélo, à l'épicerie.

Au début, vous allez peut-être trouver ça difficile, voire ardu et pas rigolo du tout. Mettez-vous dans la peau d'un comédien qui s'exerce pour son rôle, cela deviendra plus facile, plus agréable et même naturel !

Notez les lieux les plus propices à la rigolothérapie. Faites le jeu une minute chaque jour pendant une semaine.

Retour sur le jeu: Quels ont été les effets dans votre vie au bout d'une semaine ? (Par exemple : plus détendu, plus de vitalité, etc.)

La liberté d'être soi*

La sagesse est d'être fou
lorsque les circonstances en valent la peine.
Jean Cocteau

Objectif: Apprendre à être intègre avec vous-même et les autres, libérer des peurs et accroître la confiance en soi.

Matériel requis: Cahier, crayon.

Marche à suivre: Premièrement, posez-vous la question: Suis-je libre d'être moi-même? Pour cela, faites le tour des relations affectives qui sont importantes dans votre vie. Dressez la liste des personnes avec lesquelles vous vous sentez entièrement libre d'être comme vous êtes, libre de dire, sans contraintes, vos opinions, vos goûts, vos pensées réelles, vos émotions, libre d'agir dans le sens de vos besoins, de vos valeurs.

Écrivez les noms de ces personnes dans le tableau suivant et remplissez les autres colonnes selon le modèle proposé.

Liste des personnes avec lesquelles je me sens libre	Ce qui stimule mon désir de rester moi-même avec ces personnes	Comment je me sens en leur présence
Mon ami René	Son accueil Son écoute Son acceptation de ce que je suis Son investissement dans notre relation Son ouverture	Ma confiance en moi-même et en lui Mon désir de m'investir dans ma relation avec lui Mon envie de dépasser mes limites restrictives La permission que je me donne d'exprimer mes peurs et mes insatisfactions

* Tiré du livre de Colette Portelance, *Aimer sans perdre sa liberté.*

Ensuite, quand perdez-vous la liberté d'être vous-même?

Dans le tableau suivant, inscrivez les personnes avec lesquelles vous ne vous sentez pas totalement à l'aise ni totalement libre.

Liste des personnes avec lesquelles j'ai des difficultés à être toujours moi-même	Ce qui freine mon élan d'être moi-même avec ces personnes	Ce qui fait que je ne me donne pas la liberté d'être vrai en leur présence
Mon père	Sa nature contrôlante et autoritaire Ses contradictions Sa tendance à se montrer supérieur Ses jugements Ses leçons de morale	Mon besoin de me prouver et d'exceller Mon besoin de parler de ce que j'ai fait plutôt que de ce que je vis Ma peur d'être jugé Mon insécurité Mon sentiment d'infériorité Ma culpabilité

Retour sur le jeu: Après avoir rempli les deux tableaux, vous serez plus en mesure de comprendre que tout part de vos propres peurs et craintes.

L'avenue de mes habitudes de vie

Cuisiner pour moi avec amour

C'est une grande force que d'attendre
sans impatience que tout mûrisse.

Heinrich Pestalozzi

Objectif: Manger en toute conscience et avec plaisir.

Ce jeu est destiné à tous. Cependant, les personnes qui vivent seules en auront davantage besoin car elles ont moins le goût de se faire à manger ou de manger. Cet outil permet aussi aux personnes qui ont des troubles alimentaires de s'observer dans leur rapport à la nourriture et ainsi de se guérir.

La façon dont vous vous préparez à manger, comment vous mangez et toutes les pensées qui y sont associées ont un lien avec votre bien-être et qui vous êtes. À partir d'aujourd'hui, observez votre rapport à la nourriture.

Matériel requis: Cahier, crayon.

Marche à suivre: Le tableau suivant peut vous permettre, dans un premier temps, de vous poser les bonnes questions lorsque vient le temps de manger des aliments.

Voici l'exemple de Caroline.

Heure	Aliments	1. Faim	2. Pas faim	3. Mange selon mes besoins	4. Mange par principe	5. Mange par émotion	6. Mange par habitude	7. Mange par paresse	8. Mange par gourmandise	9. Mange pour me récompenser	Lien (Comment je mange : stressé, debout, vite ? Est-ce que je mâche suffisamment ?)
7 h	2 tartines, confiture et café		X				X		X		Je mange vite, debout, avant de me rendre au travail.
10 h 30	Pomme et barre de céréales	X				X			X		Je suis stressée, je me sens déshydratée, mais je mange au lieu de boire de l'eau.
12 h 15	Salade, poisson, frites et yaourt aux fruits	X			X				X		J'ai peur d'avoir faim en après-midi, je cherche une nourriture qui va me soutenir. Je me sens pressée par le temps.
13 h	Chocolat noir		X			X			X		J'ai une envie de sucre de retour au travail. Je suis submergée de dossiers.
16 h 30	Pomme et 3 biscuits au chocolat	X				X			X		Je suis stressée.
19 h	Pain et fromage	X					X	X	X		Je n'ai pas envie de me préparer à manger. Solitude. Fatigue.
21 h	Bol de céréales et lait		X			X			X	X	J'ai besoin de combler un vide intérieur. Tristesse.

Tiré du livre de Lise Bourbeau, *Écoute et mange, stop au contrôle !*

Caroline fait le constat qu'elle vit beaucoup de stress et que sa vie tourne autour de son travail. Elle ne s'hydrate pas suffisamment et mange souvent par gourmandise.

Les personnes qui mangent seules décrivent souvent un plaisir moindre à cuisiner pour elles-mêmes. Cette semaine, essayez de vous faire un beau repas, comme si vous étiez votre invité. Mettez une belle nappe, de beaux ustensiles, une bougie et avant de savourer le contenu de votre belle assiette, prenez une photo ! Il est également agréable de faire ce processus lorsque vous êtes en famille, en couple, entre amis pour prendre plus de plaisir et de temps à table.

Retour sur le jeu : Qu'avez-vous observé cette semaine ? Quelles prises de conscience avez-vous faites ?

Être mon propre médecin

On court après le bonheur et l'on oublie d'être heureux.

François Cavanna

 **Objectif:** Intégrer des actions simples dans votre quotidien pour augmenter votre vitalité.

Matériel requis: Cahier, crayon.

Marche à suivre: Quels élixirs de bien-être suivants pourraient être plus présents dans votre vie? Notez pour chacun si vous le prenez déjà ou si vous souhaitez l'ajouter dans votre routine.

- *Élixir soleil.* Le soleil génère de la vitamine D dans votre corps, ce qui permet de fixer le calcium. Prenez un petit bain de soleil au quotidien.

  Qu'est-ce que vous voulez conserver dans votre quotidien? Qu'est-ce que vous voulez ajouter?

- *Élixir air.* L'air, c'est la vie! Respirez profondément. Mangez sans parler. Vous avez besoin d'air pour oxygéner chacune de vos cellules!

  Qu'est-ce que vous voulez conserver dans votre quotidien? Qu'est-ce que vous voulez ajouter?

- *Élixir eau.* Votre corps est constitué à 70 % d'eau. Chaque cellule de votre corps est elle-même constituée à 70 % d'eau. La planète Terre est aussi faite à 70 % d'eau. Buvez quatre verres d'eau le matin, quatre verres d'eau l'après-midi et encore plus si vous faites du sport!

  Qu'est-ce que vous voulez conserver dans votre quotidien? Qu'est-ce que vous voulez ajouter?

- *Élixir bonne alimentation.* Pour que vos intestins soient en bonne santé, ils ont besoin d'être nettoyés avec des fibres, des fruits et des légumes.

  Qu'est-ce que vous voulez conserver dans votre quotidien? Qu'est-ce que vous voulez ajouter?

- *Élixir exercice.* Votre corps a besoin de bouger pour fixer le calcium et plusieurs autres minéraux. Le sport, ou toute autre activité qui permet au corps d'être en mouvement, réduit également les graisses tout en fournissant une multitude de bienfaits. Si vous êtes réfractaire au sport, ça peut être de la marche, de la danse ou tout ce qui met votre corps en mouvement.

  Qu'est-ce que vous voulez conserver dans votre quotidien? Qu'est-ce que vous voulez ajouter?

- *Élixir repos.* Pour se régénérer, votre corps a besoin de se reposer. Le sommeil est primordial tout comme les temps de calme que vous prenez pour garder votre esprit en paix. Cela favorise aussi votre digestion et le bon fonctionnement de vos organes.

  Qu'est-ce que vous voulez conserver dans votre quotidien? Qu'est-ce que vous voulez ajouter?

- *Élixir bonne posture.* Votre squelette vous soutient. La manière dont vous vous tenez influe également sur vos ligaments, sur votre circulation sanguine et sur vos organes. Une bonne posture favorise une meilleure élimination des déchets et évite le vieillissement prématuré.

  Qu'est-ce que vous voulez conserver dans votre quotidien? Qu'est-ce que vous voulez ajouter?

- *Élixir bonnes pensées.* Pour vous épanouir pleinement, il est important d'avoir des pensées bienveillantes. En effet, celles-ci jouent sur votre respiration, qui affecte les battements de votre cœur, lequel influence votre cerveau, et ainsi de suite dans tout votre être. Pratiquez la compassion.

  Qu'est-ce que vous voulez conserver dans votre quotidien? Qu'est-ce que vous voulez ajouter?

Retour sur le jeu: Après une semaine, notez tout ce que vous avez ajouté dans votre vie, et comment vous vous sentez pa rapport à cela.

Mon corps est mon véhicule

Le bonheur est à votre foyer,
ne le cherchez pas dans le jardin des étrangers.

Douglas Jerrold

Objectif: Prendre conscience de ce que vous mangez et de ce que vous faites comme activité physique afin de savoir où vous avez besoin d'agir sur votre santé.

Comme une voiture qui a besoin d'essence, votre corps a besoin d'être bien nourri pour avancer. Le fait de s'alimenter est un geste quotidien souvent banalisé alors qu'il est l'un des plus importants ! Le stress, la dépression, l'hyperactivité et plusieurs autres troubles peuvent être diminués, voire éradiqués, par des habitudes alimentaires plus saines ainsi que de l'exercice physique sur une base régulière.

Matériel requis: Cahier, crayon, surligneur.

Marche à suivre: Commencez d'abord par observer ce que vous mangez dans la journée :

Liquides	Nourriture	Activité physique	États émotionnels
(Notez les heures et les sortes de boissons.)	(Notez les heures et les quantités afin de prendre aussi conscience du grignotage.)	(Pour les personnes qui ne font pas de sport, la marche est prise en compte ; par exemple : monter les escaliers, marcher de façon plus dynamique dans un parc.)	(Par exemple : joie, stress, colère, lassitude, désespoir, routine.)

Surlignez les aliments naturels (comme les fruits et les légumes que vous avez mangés). En avez-vous ingéré au moins sept portions dans votre journée ?

Observez les aliments sucrés (autres que les fruits), les gras et les farines blanches (pains, pâtes, biscuits, etc.) consommés au cours de la journée, car ils ont tendance à fatiguer et à irriter votre système digestif.

Un truc pour intégrer une grande quantité de fruits et légumes : faites des boissons au mélangeur. Voici une recette simple, rapide et délicieuse.

Salade mixée gourmande

250 ml d'eau de coco (à ne pas confondre avec du lait de coco)
5-6 feuilles de salade
3 bananes

Mettez le tout dans un mélangeur pendant 45 secondes. À savourer tranquillement, en mâchant même si c'est liquide.

Retour sur le jeu : Après une semaine, remplissez le tableau de nouveau. Observez les améliorations et notez ce que vous avez intégré et ingéré dans votre quotidien.

La gestion de stress : une nouvelle approche mesurable

Le travail est la chose la plus précieuse du monde, c'est pourquoi il faudrait toujours en garder pour le lendemain.

Don Herald

Objectif: Permettre de vous sentir comme une bouteille d'eau plutôt qu'une bouteille de champagne quand vous êtes soumis au stress.

Bien que la cohérence cardiaque puisse vous faire sentir plus serein dans les épreuves de la vie, elle possède plusieurs autres vertus comme diminuer le stress, augmenter votre vitalité et votre longévité, améliorer vos performances.

Définition de la cohérence cardiaque : Le cœur peut vivre du chaos (stress, préoccupations, dépression, etc.) ou de la cohérence (état de relaxation, calme, etc.).

Le cœur est un organe « auto-animé » qui nous envoie des signaux émotionnels et intuitifs pour diriger notre vie.

Le rythme cardiaque reflète donc notre état émotionnel, qui affecte à son tour les aptitudes du cerveau à organiser l'information, à prendre une décision, à résoudre un problème ou encore à exprimer sa créativité. Nous entraîner à générer en nous cette cohérence est au cœur du processus de gestion du stress.

Le concept de cohérence cardiaque est issu des recherches médicales dans les domaines des neurosciences et de la neurocardiologie.

Il a notamment été montré que cette méthode a de nombreux bénéfices sur la santé, joue un rôle important dans la prévention des maladies cardiovasculaires et permet de s'affranchir des médicaments anxiolytiques ou antidépresseurs.

Matériel requis: Cahier, crayon, chronomètre ou montre (facultatif).

La méthode pour retrouver sa cohérence cardiaque est à la fois simple et rapide ; voici les quatre étapes :

1. Établissez vos symptômes de stress, comme l'agacement, des tics, une certaine nervosité ;
2. Prenez deux respirations en adoptant un rythme régulier de 4/6 (le temps prévu à l'inspiration est de 4 secondes et de l'expiration, de 6 secondes) et en imaginant que votre cœur se gonfle à l'inspiration et se dégonfle à l'expiration ;
3. Sollicitez le cœur en portant votre attention sur la zone qui l'entoure ou, pour vous aider, en posant votre main sur le cœur ;
4. Évoquez un souvenir positif qui génère en vous une émotion agréable et forte (un « élan du cœur ») et revivez-le le plus intensément possible en imagination.

Ces premières étapes permettent de générer une variabilité du rythme cardiaque cohérente qui peut être utilisée par la suite pour modifier votre manière de réagir à une situation ou à un événement stressant. Cette technique simple donne d'excellents résultats et nécessite un entraînement régulier afin d'en tirer un maximum de bénéfices et d'y recourir spontanément.

Marche à suivre: On crée une habitude par la répétition. Pendant 21 jours, vous pouvez pratiquer la cohérence cardiaque quotidiennement et ressentir ses multiples effets :

- le cerveau est plus rapide et plus précis ;
- les idées coulent naturellement, sans efforts ;
- vous obtenez une capacité d'adaptation à toutes sortes d'imprévus ;
- vous éprouvez un état de calme, de paix intérieure ;
- vous avez moins de compulsions (alimentaires, alcool, etc.) ;
- vous diminuez tous les symptômes associés au stress.

Vous pouvez utiliser la technique avec du papier et un crayon ou seulement en respirant profondément (par exemple : 4 temps d'inspiration, 1 temps de retenue du souffle et 6 temps d'expiration). Notez dans chacune des cases le nombre d'ondulations que vous obtenez pendant trois minutes.

On inspire en montant la courbe.

On expire en descendant la courbe.

1re semaine

	Lundi	Mardi	Mercredi	Jeudi	Vendredi	Samedi	Dimanche
Matin							
Journée							
Soir							

Notez vos commentaires et vos observations.

2e semaine

	Lundi	Mardi	Mercredi	Jeudi	Vendredi	Samedi	Dimanche
Matin							
Journée							
Soir							

Notez vos commentaires et vos observations.

3e semaine :

	Lundi	Mardi	Mercredi	Jeudi	Vendredi	Samedi	Dimanche
Matin							
Journée							
Soir							

Notez vos commentaires et vos observations.

Remarque: Il est possible d'utiliser un logiciel de biofeedback. Le principe est simple : un capteur infrarouge relié à votre index collecte des données biométriques (battements cardiaques, par exemple). Celles-ci sont ensuite traduites par le logiciel sous une forme graphique facilement interprétable. (Voir à ce sujet : Le cœur est la boussole de l'esprit, au www.heartmath.com.)

Retour sur le jeu : Au bout d'un mois, les personnes indiquent en général des changements radicaux dans leurs comportements, leurs émotions et leur manière de voir la vie*.

* Tiré du livre de David Servan-Schreiber, *Guérir*.

Les six émotions de base

Nous appellerons émotions une chute brusque de la conscience dans le magique.

Jean-Paul Sartre

Objectif: Libérer des émotions qui vous habitent parfois même depuis l'enfance.

Souvent, vous pouvez vous sentir à fleur de peau, sur la défensive, irrité, irritable, fatigué, épuisé, vidé. Il n'est pas toujours possible de dire tout ce que vous ressentez aux autres, alors vous avez pris l'habitude d'étouffer et de refouler vos émotions.

Matériel requis au choix: Oreiller, musique, crayon, carnet d'écriture.

Marche à suivre: Il existe six émotions de base que chaque être humain ressent à différents moments de sa vie: joie, colère, tristesse, peur, dégoût, surprise. Les deux plus importantes, et qui ne sont pas toujours pleinement exprimées, sont la tristesse et colère.

L'amour, la frustration, la culpabilité, le plaisir sont des sentiments, soit un mélange de toutes les émotions à différents degrés selon les personnes. Gérer ou maîtriser vos émotions revient à les nier et ainsi les mettre dans un autocuiseur. Apprenez plutôt à les découvrir, à les apprivoiser, à les exprimer et ainsi à les libérer, à les vivre!

Pour la colère, trouvez des occasions pour crier, danser, vibrer, vous défouler, frapper contre quelque chose de 1 à 10 minutes. Par exemple: frappez dans un oreiller, criez quand un train passe, défoulez-vous sur de la musique, faites des faces de colère sous la douche, etc. Attention: il est important de ne pas vous faire du mal ni d'endommager l'environnement.

Vous pouvez faire de même pour la tristesse. Prenez du temps pour écouter une musique qui fera remonter les larmes ou la tristesse.

Enfin, il est aussi intéressant de prendre du temps pour réaliser où, dans votre corps, vous éprouvez des tensions, des resserrements, de la pression. Respirez dans ces zones et regardez ce qu'elles vous font vivre comme émotions.

Retour sur le jeu: Comment vous sentez-vous après avoir pris du temps pour vous? Est-ce que des épreuves du passé ont pu ressurgir et ainsi libérer des émotions?

J'arrête de râler

Ma vie est remplie d'obstacles.
Le plus grand, c'est moi.

Jack Parr

Objectif: Établir vos comportements négatifs et jouer avec eux.

Ce jeu est inspiré du site Internet de la Française Christine Lewicki, www.jarretederaler.com. Ici, au Québec, les gens utilisent plutôt le mot « chialer ». Il faut comprendre que, de manière générale, l'objectif est d'éviter de vous plaindre pour profiter pleinement de tout ce que la vie vous apporte.

Matériel requis: Internet (si vous le souhaitez).

Marche à suivre: Tout a commencé en 2000, alors que Christine Lewicki va s'établir à Los Angeles, en Californie, et se retrouve immergée dans la mentalité positive et motivante des Américains. Elle réalise à quel point la vision qu'elle a des choses et l'angle sous lequel elles sont appréhendées peuvent avoir un réel impact sur sa vie, sur son bonheur et sur ses réussites. À la suite de son expérience, elle décide de créer « Le défi des 21 jours » pour passer de la protestation à la célébration.

Le principe est simple : chaque fois que vous vous surprenez à râler, le compte à rebours repart à zéro. (Eh oui !) Le défi est difficile, certains diront même impossible, mais une chose est certaine, l'essayer c'est ouvrir la porte au bonheur, à l'appréciation, aux délices de la vie et à la création d'un monde meilleur.

Rappelez-vous que dans le défi « J'arrête de râler », vous essayez d'avoir une conversation avec les personnes concernées et qu'il s'agit d'une démarche constructive. Faites appel à votre bon sens et recherchez une solution qui vous apaise.

Si vous avez envie d'essayer ce défi, notez vos succès et vos difficultés. Ça vous permettra d'y voir plus clair ! Voici un exemple : une personne vous coupe la route alors que vous êtes à vélo.

Quand vous râlez, vous dites: «Oh le c...! Il aurait pu faire attention!», «Je hais les automobilistes qui n'aiment pas les cyclistes», etc.

Par contre, lorsque vous célébrez la vie, vous dites: «J'ai eu peur qu'il m'écrase. Je souhaite qu'il fasse plus attention la prochaine fois. Je suis heureux d'être en vie.»

Il est tout à fait possible et même souhaitable de faire ce jeu à plusieurs afin de bénéficier de l'effet de la motivation sociale.

Retour sur le jeu: Avez-vous réussi à passer plus de trois jours sans râler? Ressentez-vous plus de paix et de calme en vous?

Au secours, ça va trop vite !

Le temps n'est pas une courbe lisse,
mais une série de cahots, de bonds et de pauses.

Niall Williams

Objectif: Prendre conscience que le fait de ne rien faire est une partie de la solution pour vous sentir heureux et accompli.

Parfois, le sentiment que tout s'accélère vous fait ressentir un brin de panique et de non-contrôle sur votre vie. Prendre le temps peut vous donner l'impression de ne pas être efficace. Et si c'était le contraire ?

Matériel requis: Crayon, cahier, patience, observation, respiration.

Marche à suivre: Voici une dizaine de pistes pour ralentir. Le secret : restez le plus possible dans le moment présent !

- Prenez du temps pour vous : établissez vos priorités.
- Écrivez vos désirs.
- Faites le vide dans votre tête : essayez des centres de méditation, lisez des livres de spiritualité, écoutez de la musique de relaxation.
- Allez dans la nature : ressourcez-vous dans un parc, au bord d'un lac, etc. Touchez à l'arbre, aux roches, aux feuilles, au gazon, etc.
- Mangez des aliments naturels : dégustez lentement, mastiquez suffisamment, déposez votre fourchette entre chaque bouchée.
- Jouez : riez, chantez, dansez, faites-vous plaisir.
- Apprenez et créez ; par exemple, achetez un livre de mandalas à dessiner auxquels vous ajoutez vos couleurs.
- Marchez : cheminez, musardez, écoutez, attendez.
- Asseyez-vous et écoutez une belle pièce de musique, laissez-vous attendrir.
- Prenez le temps d'aimer un objet, une plante, un animal.

Et vous, qu'avez-vous fait aujourd'hui pour ralentir ?

Retour sur le jeu: À la fin d'une journée où vous avez pris le temps de ralentir, regardez comment vous vous sentez.

L'avenue de mes rêves et cauchemars

Les rêves de nuit (oniriques)

La sagesse, c'est d'avoir des rêves suffisamment grands pour ne pas les perdre de vue lorsqu'on les poursuit.

Oscar Wilde

Objectif: Utiliser les rêves comme une source d'information personnelle à notre service*.

Matériel requis: Journal de rêves personnel, crayon.

Marche à suivre: Dans votre journal, écrivez ce que vous voulez obtenir, par exemple une information, un désir ou une demande spéciale. Indiquez la date, donnez un titre à votre rêve, décrivez-le et inscrivez votre dernier sentiment.

Les rêves de nuit constituent une importante source d'information pourtant peu considérée par l'être l'humain. Cependant, ils sont des outils à notre portée pour une meilleure compréhension de ce que nous sommes, faisons et projetons dans la vie. Lorsque nous voulons résoudre une situation ou un événement, nous devons travailler sur tous les plans possibles, et les rêves en font partie. Les plus grands de ce monde, comme Albert Einstein et Michel-Ange, se sont inspirés des rêves pour leurs découvertes. Vous pouvez utiliser vos rêves de nuit pour savoir et mieux comprendre vos pulsions, vos limites personnelles, vos énigmes, etc.

Les dictionnaires sur les rêves donnent une description générale pour nous guider; ils répondent à un besoin pour ceux qui débutent et veulent en savoir un peu plus sur le sujet.

Voici un exemple: «J'ai pris des décisions importantes à la suite de rêves récurrents. Ainsi, j'ai déjà quitté une relation amoureuse après avoir fait le même rêve deux fois. J'ai vérifié la définition du mot "prison" et cela m'a bien éclairé sur ma situation.» Quand la définition du mot dans le dictionnaire colle à votre situation précise, cela peut

* Source: Nicole Gratton, *L'art de rêver*, Éditions Flammarion.

être très aidant. Si, à la lecture d'un mot, vous vous retrouvez encore plus confus, c'est désagréable car cela ne tient pas compte de votre vécu. Les dictionnaires des rêves sont un peu comme des repas rapides (*fastfood*), ils peuvent vous dépanner, mais il n'est pas recommandé de vous nourrir uniquement de cela. C'est seulement un bon départ pour observer l'activité cérébrale nocturne.

Voici ce que vous pouvez faire pour amorcer l'analyse de vos rêves et cauchemars. Inscrivez chaque rêve dans votre journal de vie en lui donnant un titre, en le décrivant, en en faisant le déroulement complet et, finalement, en prenant soin de bien noter votre dernier sentiment.

Cette transcription se veut simple et efficace, tenez-vous-en aux faits sans vous perdre dans les détails. Écrivez tout ce qui se passe en tenant compte des faits saillants :

- l'action ;
- vos réactions ;
- les personnes que vous connaissez ou pas ;
- les lieux ;
- les couleurs, la saison et le moment de l'année ;
- les chiffres ;
- le dernier sentiment.

La nuit porte conseil. Il faut, juste avant le coucher, vous demander par écrit ce que vous voulez obtenir comme information, désir ou demande spéciale.

Indiquez la date, car elle servira de repérage.

Donnez un titre à votre rêve afin d'orienter l'analyse vers les faits saillants significatifs : les événements, les actions et vos émotions selon votre perception.

La description du rêve : Le lendemain matin, donnez un titre à votre rêve, faites-en la description et décrivez-en le déroulement. Notez les faits, votre pensée et vos réactions. Finalement, prenez bien soin d'inscrire la dernière émotion.

Rêve ou cauchemar : Le dernier sentiment dans votre rêve constitue un élément clé de l'histoire, car il peut faire la différence entre un rêve et un cauchemar. Nous pouvons dire, par exemple, que si vous avez réussi à sortir d'un ravin seul en laissant les méchants sur place, cela n'est pas un cauchemar, car le dénouement vous fait sortir gagnant du rêve.

Interprétations: Lisez la description de vos rêves et donnez-vous le temps de constater ce qui vient en premier comme information. Laissez-vous aller intuitivement à interpréter votre rêve: après en avoir fait la lecture, observez vos premières impressions, vos pensées, vos émotions et notez-les. Ensuite, comparez-les avec votre réalité et trouvez les similitudes avec votre rêve.

Y a-t-il une situation similaire dans votre vie actuelle? En relisant votre rêve, établissez des liens avec votre quotidien et vous devriez trouver une réponse.

Si vous avez de la difficulté à interpréter vos rêves de façon intuitive, nous vous suggérons de passer à l'interprétation rationnelle. D'abord, résumez votre rêve, puis posez la question suivante: Y a-t-il une situation dans votre vie actuelle qui ressemble aux mêmes verbes utilisés que dans votre rêve, aux mêmes déroulements et aux mêmes sentiments?

Retour sur le jeu: Évaluez vous-même l'importance d'utiliser vos rêves dans la vie de tous les jours; soyez persévérant. Demandez-vous chaque soir de vous rappeler vos rêves le lendemain. C'est une bonne habitude à prendre.

L'avenue de mon portrait de vie

Les quatre styles de personnalité

La vie est comme un arc-en-ciel : il faut de la pluie et du soleil pour en voir les couleurs.

Anonyme

Objectif: Mieux vous connaître et mieux connaître les autres.

Êtes-vous rouge, jaune, vert ou bleu ?

Matériel requis: Cahier, crayon.

Marche à suivre: Lisez les quatre profils de personnalité suivants*. Observez-les pendant 21 jours afin que le cerveau développe le réflexe automatisé de reconnaissance de ces profils de personnalité.

La plupart des gens sont un mélange de deux, de trois ou parfois de quatre styles. On parle de prédominance si l'on trouve deux couleurs sur quatre.

* Source : Les produits psychométriques de l'Arc-en-Ciel (voir www.swissnova.com) et pour faire gratuitement le test, visitez le site http://www.arcencielrh.com/accueil.htm.

Voici une brève définition des quatre couleurs définies en quatre profils.

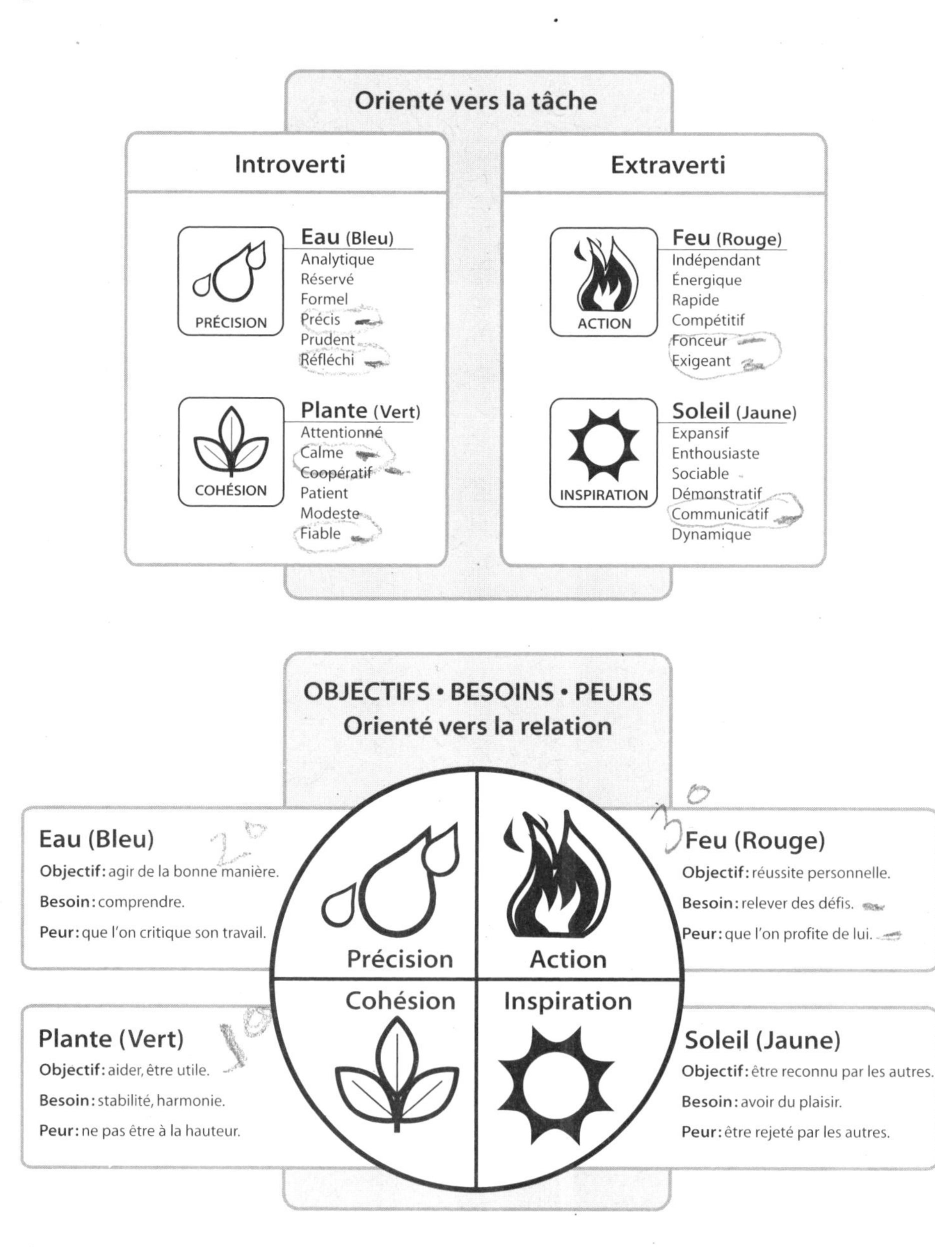

Caractéristiques du rouge : extraverti, rationnel (stratège), changement

- Aime se mettre en danger, est rapide, est un leader charismatique affirmé.
- Remet souvent tout en question.
- Adore que ça bouge, il en a besoin.
- Vif, fort, puissant, intense, autoritaire, décideur, fonceur, directif, orienté vers les résultats.
- Dominant, ambitieux et affichant son ambition, aime les défis, entreprenant, s'ennuie lorsqu'il se trouve en panne de stimuli.

Plus l'environnement est fluctuant, plus le rouge est performant. Il se remet en question si on lui démontre des preuves. Le rouge pur est un moins bon leader, car il est trop cassant, trop autoritaire. Il veut savoir ce que les gens « ont dans le ventre », ensuite il devient plus agréable.

Comment communiquer avec lui : Se montrer dynamique et orienté vers les résultats. Éviter de lui donner des détails. Lui proposer des solutions et non des opinions, et le laisser décider.

Déviance si exagérée, peut être perçu comme : Agressif, cassant, autoritaire, menaçant, écrasant.

Situations rouges : Urgence, être dans l'action ; par exemple : accident, incendie.

Caractéristiques du jaune : extraverti, relationnel (sentiment, ressenti), changement

- Expressif.
- Enjoué.
- Sociable.
- Affirmé.
- Chaleureux.
- Enthousiaste.
- Charismatique.
- Passionné.
- Positif.

- Orienté vers le futur.
- Recherche le plaisir.

Le jaune peut être visionnaire et créatif en compagnie du rouge.

Comment communiquer avec lui: Le faire rire, le faire rêver, créer une relation dans le plaisir, s'intéresser à lui, lui offrir un café, lui demander où il est garé.

Déviance si exagérée, peut être perçu comme: Superficiel, excité, excentrique, sans structure, utopiste, rêveur.

Situations jaunes: Entretien du réseau, situations qui nécessitent de l'entregent par exemple, les cocktails.

Caractéristiques du vert: introverti, relationnel (sentiment, ressenti), stabilité-sécurité

- À l'écoute.
- Empathique.
- Coopératif.
- Serviable.
- Disponible.
- Très fiable (contrairement au jaune).

Le vert a fondamentalement envie de comprendre l'autre et sa façon de fonctionner. Il est méthodique et systématique; attention, le bleu est orienté vers les détails, c'est différent. De prime abord, le vert paraît froid, mais il devient sociable. Très sensible, il peut se montrer froid et distant pour se protéger.

Comment communiquer avec lui: Lui poser des questions, sinon on sort de l'entretien sans savoir ce qu'il pense car il fonctionne en mode réceptif.

Déviance si exagérée, peut être perçu comme: S'oublie lui-même, ne sait pas dire non, sauveur, âme du saint-bernard, veut se rendre indispensable, lent, mou, trop sensible.

Situations vertes: Relation d'aide, service après-vente, suivi du client, analyse des besoins, fidélisation.

Caractéristiques du bleu : introverti, rationnel (stratège), stabilité-sécurité

- Analytique.
- Objectif.
- Précis.
- Sens du détail.
- Réfléchi.
- A du recul par rapport à la situation actuelle.

Comment communiquer avec lui : Lui apporter un dossier bien ficelé, être factuel.

Déviance si exagérée, peut être perçu comme : Pointilleux, froid, distant, non communicatif, rigide, terne, carré.

Situations bleues : Contrôler, faire un rapport.

* * *

Retour sur le jeu : Après avoir fait ce jeu, vous serez plus apte à comprendre certaines de vos réactions face à d'autres personnes. Vous serez aussi en mesure de reconnaître les couleurs chez d'autres personnes et mieux composer avec celles-ci.

Relisez simplement les caractéristiques et les besoins des quatre styles de personnalité qui sont associés aux différentes couleurs. Vous pourrez ainsi mieux vous adapter aux styles des autres lorsque vous vous adressez à eux. En d'autres mots, vous parlerez leur langage, leurs codes, vous aurez une meilleure qualité relationnelle et ils seront attirés à votre contact.

L'EMCE, ou l'entretien *m*énager cognitif et émotif

Vivez votre vie d'une façon bonne et honorable,
ainsi, lorsque vous vieillirez et que vous regarderez
en arrière, vous en profiterez une deuxième fois.

Dalaï-Lama

Objectif: Effectuer un retour sur votre semaine, vos bons et moins bons coups afin d'entretenir une saine gestion de votre vécu émotif grâce à l'EMCE.

L'EMCE signifie:

- Entretien: tenir en bon état;
- Ménager: contribuer au confort et embellir le décor intérieur;
- Cognitif: faculté d'acquérir l'information (nos pensées);
- Émotif: sphère affective (nos affects, nos sentiments).

Matériel requis: Crayon, cahier.

Marche à suivre: Lisez et répondez aux énoncés suivants.

Voici l'exemple de l'EMCE de Mélanie.

- Retour sur la semaine (*évaluation globale: 0 pas appréciée, 10 pleinement appréciée)*: 9/10.
- Ma plainte, ce qui m'a irritée: *les embouteillages.*
- Le moment émotif le plus difficile et le moyen pris pour le gérer: *Mon conjoint a été licencié, je l'aide à refaire son curriculum vitæ.*
- Mon bon coup cette semaine (ma fierté): *J'ai gagné contre Clara au badminton.*
- Mon meilleur moment: *Ma fille a marché.*
- Mon objectif général pour la semaine prochaine: *Aider mon copain à envoyer des CV.*

- Mon objectif précisé (comportement, moment, durée et lieu, voir la fiche MEMO) : *Mardi, terminer la lettre de présentation pour faire des envois dès le mercredi.*
- Prévision du moment pour soi (ce que j'aimerais faire pour moi) : *Un spa ce samedi.*

Retour sur le jeu : Ce jeu permet donc d'effectuer un retour sur la semaine et de bien boucler certains moments moins appréciés afin de diminuer les spirales émotives. Il termine la semaine sur une bonne note et permet de bien amorcer la prochaine. Ce jeu peut être plaisant à faire seul, entre amis ou en famille.

Les dynamiques psychologiques

La vie, c'est comme une bicyclette.
Il faut avancer pour ne pas perdre l'équilibre.
Albert Einstein

Objectif: Être capable de découvrir votre mode de fonctionnement relationnel et essayer de vous approprier celui qui vous permettrait de mieux vous épanouir.

Matériel requis: Crayon, cahier.

Marche à suivre: Lisez ci-dessous les différentes dynamiques proposées par Jacques Salomé* et tentez de savoir si vous avez parfois le réflexe de privilégier cette dynamique. Vous devez indiquer votre pourcentage d'utilisation de cette dynamique, la sphère dans laquelle vous la privilégiez (ou vous l'observez chez autrui) de même que les avantages et les inconvénients de cette façon de gérer les différents éléments de vie.

La plupart de nos échanges s'organisent autour de cinq grandes dynamiques relationnelles que l'autre ou nous mettons en place. Elles sont pour la plupart tenaces, efficientes, et qu'elles soient hypertrophiées ou hypotrophiées (chez nous ou chez l'autre), elles ont tendance à revenir.

La dynamique de l'éponge

La personne qui fait l'éponge absorbe tout: non seulement les malheurs, les catastrophes, les épidémies, les souffrances individuelles et collectives, mais aussi les petits et grands bonheurs et tous les plaisirs qui passent à sa portée dans la plus grande des confusions: c'est pour elle ! Tout ce qui arrive de par le monde, proche ou lointain, c'est toujours pour elle ! Tout se passe comme si, dans une installation de plomberie, on mélangeait les conduites d'eau: l'eau potable avec l'eau de vidange, si bien qu'au robinet plus rien ne serait bon. Pour une

* Source: *Vivre avec soi: chaque jour... la vie*, Éditions de l'Homme.

éponge, quelles que soient les expériences vécues, le monde est souvent grisâtre ou a mauvais goût.

Voici l'exemple de Jeanne pour chacune des dynamiques.

À quel pourcentage me représente-t-elle ?	Je l'observe surtout...	Mes réflexions sur cette dynamique
60 %	Dans ma relation avec ma mère où je reçois négativement ses commentaires.	Je m'épuise à en faire une affaire personnelle.

La dynamique du filtre

La personne qui la pratique retient surtout le mauvais et laisse passer le bon. Vivre avec un filtre est décourageant et éprouvant, mais surtout épuisant. Cela donne le sentiment d'être vraiment nul dans tous les domaines. Quoi que vous proposiez, offriez ou partagiez, le filtre ne retient que le négatif, ce qui ne va pas, car c'est sa spécialité : garder essentiellement tout ce qui ne passe pas au lieu de retenir ce qui passe bien. Fuyez avant que le désespoir vous dévitalise !

À quel pourcentage me représente-t-elle ?	Je l'observe surtout...	Mes réflexions sur cette dynamique
25 %	À mon travail à la garderie.	Certains commentaires peuvent être très constructifs, mais j'ai tendance à les rejeter vite.

La dynamique de l'entonnoir

Comme l'entonnoir, la personne ne garde rien. Incapable de retenir quoi que ce soit, elle laisse tout s'échapper : le bon et le mauvais, le possible et l'impossible. Elle traverse la vie en état de manque permanent, avec le sentiment de n'avoir rien reçu, totalement anesthésiée. Les sens usés par tant de choses n'ont laissé aucune trace en elle. Elle n'a rien perçu, rien donné, gaspillant son existence sans même le savoir, éliminant aveuglément tous les cadeaux de la vie. L'entonnoir, ce n'est pas vous, bien sûr... c'est l'autre !

À quel pourcentage me représente-t-elle ?	Je l'observe surtout...	Mes réflexions sur cette dynamique
0 %	Chez Christian qui semble rarement impliqué.	C'est peut-être pour cette raison que je suis tendue en sa présence, car je sens que nous n'avons pas de liens forts comme j'aimerais.

La dynamique de la passoire

Celui qui connaît cette dynamique sait garder le bon et laisser passer le mauvais. Il capte les miracles de la vie, les rires et les douceurs, le positif et les possibles de l'existence. Il ne s'encombre pas de déchets, laisse la pollution à l'extérieur de la relation. Il relativise, dédramatise et accepte beaucoup de la vie avec une grande ouverture. Il est bon de vivre avec une passoire qui ne retient que le meilleur de nous et des autres.

À quel pourcentage me représente-t-elle ?	Je l'observe surtout...	Mes réflexions sur cette dynamique
50 %	Dans ma vie en général.	Quand je suis de bonne humeur, je sais garder le bon, ce qui me met justement de bonne humeur. J'aimerais porter plus attention à ma bonne humeur.

La dynamique de l'alambic

C'est la dynamique la plus rare et la plus recherchée. Celui qui la connaît sait transformer, recueillir le bon et le merveilleux dans tout ce qu'il rencontre. De tout ce qu'il vit, il retire l'essentiel. Il peut ainsi offrir le meilleur. Les alambics sont précieux ; si vous en rencontrez un, gardez-le le plus près de vous.

À quel pourcentage me représente-t-elle ?	Je l'observe surtout...	Mes réflexions sur cette dynamique
25 %.	Dans les événements de ma vie les plus marquants.	Je réalise que j'effectue peu de retour sur les événements de ma vie et je prends conscience que j'ai une belle résilience.

Retour sur le jeu : Que remarquez-vous sur les différentes dynamiques privilégiées ? Reconnaître votre dynamique est important puisqu'il s'agit d'une prise de conscience nécessaire pour la « désidentification », un peu comme une émotion qui, lorsqu'elle est simplement nommée, est plus facile à gérer. Trouvez votre dynamique et choisissez celle que vous souhaiteriez développer.

Ces modèles sont comme une ouverture à parler de vous (en quoi ils vous rejoignent et vous rejoignent moins), ce que vous comprenez et que vous voulez consolider dans un meilleur rapport avec l'autre.

Arrivez-vous, dans vos différentes sphères, à vous rapprocher de la dynamique de l'alambic ? Si oui, réfléchissez sur les moyens de transférer cette force et cette façon de voir dans les sphères avec lesquelles vous avez plus de difficultés. Sinon, essayez de vous imaginer comment il serait possible de percevoir vos dynamiques à la façon de l'alambic. Allez-y, recyclez vos blessures du passé en forces acquises au présent !

Mon champ de mines de frustration

Ce que l'on crée en soi se reflète toujours à l'extérieur de soi. C'est là la loi de l'Univers.

Shakti Gawain

Objectif: Reconnaître les non-sens de votre vie, les schémas que vous avez tendance à répéter afin de vous en dégager et de passer à l'action de façon plus efficace.

Matériel requis: Crayon, cahier.

Marche à suivre: Lisez le texte suivant, puis répondez à la question dans votre cahier.

Seriez-vous capable de nommer les culs-de-sac qui interfèrent dans votre vie? Ces culs-de-sac sont les chemins, les solutions que vous avez tendance à privilégier croyant chaque fois qu'ils régleront le problème ou qu'ils vous mèneront enfin là où vous voulez vraiment vous rendre. Finalement, ils aboutissent rarement à l'endroit souhaité et ils vous laissent le sentiment d'être dans une impasse. Frustré, vous empruntez le même chemin, en espérant encore plus fort que cette fois-ci ça fonctionnera: «Je lui ai répété une dizaine de fois et il ne comprend toujours pas!»

L'exercice du champ de mines de frustration est un outil qui a pour objectif de vous faire prendre conscience de vos impasses, de reconnaître le chemin habituellement pris pour obtenir ce que vous voulez et qui vous permet de choisir de lâcher prise non sur vos objectifs, mais sur le moyen pris pour les réaliser. Par la suite, vous pourrez choisir d'emprunter d'autres chemins qui pourront peut-être vous faire avancer davantage ou du moins diminuer votre frustration.

Voici l'exemple de champ de mines de frustration de Pierre.

Mine 1: Je suis frustré par mon couple. Je veux une vie de couple dans laquelle je me sens bien et épanoui.

Retour sur le jeu: Votre champ de mines est-il bien rempli? Si oui, bravo, vous avez été capable de reconnaître vos comportements répétés qui ne donnent pas les résultats souhaités. Vous devez donc réfléchir sur les moyens de développer une autre stratégie plus efficace; en voici un exemple.

- *Je mets habituellement le pied sur ma mine lorsque:* Je reproche à mon copain de ne pas me démontrer assez d'affection. Il le prend comme un reproche et non comme une personne qui veut vivre une belle vie de couple. Nous passons la soirée chacun de son côté, etc.
- *Je choisis de m'y prendre différemment:* Je change de conjoint! Ou, plus doucement, je vais l'embrasser, lui sourire en lui disant qu'il m'a manqué aujourd'hui.
- *Qu'est-ce que j'y gagne?* Peut-être pas la chicane habituelle. Peut-être qu'il me sourira, en me disant que je lui ai manqué aussi, me permettant d'introduire d'autres aspects, etc.

Votre passeport pour la vie

Qu'est-ce que le bonheur, sinon le simple accord entre un être et l'existence qu'il mène?

Albert Camus

Objectif: Solidifier votre reconnaissance personnelle.

Matériel requis: Cahier, crayon, votre photo.

Marche à suivre: Collez votre photo sur une feuille de papier. Ce faisant, vous devez émettre une intention dans le but de mieux vous connaître. Écrivez une brève description de ce que vous êtes ou, encore mieux, demandez à un proche qu'il vous transmette par écrit une description de vous.

Mon nom et mon image en mots

Voici l'exemple de Caroline :

Courageuse, drôle, intelligente, intéressante.

Orientée vers la famille, romantique, visionnaire.

Écrivaine, conférencière. Généreuse, créative, unique, amoureuse de la nature et des enfants, grande voyageuse, attirée par la spiritualité.

Esprit d'analyse, curieuse, spontanée et pleine d'idées.

Vous pourrez consulter ce passeport à votre guise, au moment où vous en sentirez le besoin, lors des journées sombres pour vous rehausser le moral.

Retour sur le jeu : Quel effet cela fait-il de prendre le temps de vous retrouver et de vous célébrer ?

La technique du 15/15

Qui s'embarrasse à regretter le passé
perd le présent et risque l'avenir.

Francisco de Quevedo

Objectif: Permettre, par l'entremise de l'exploration de votre passé et de votre futur imaginé, de mieux vous ancrer dans le présent.

Cet outil est fréquemment donné en début de démarche thérapeutique pour les personnes qui désirent être plus heureuses dans les différentes sphères de leur vie. Il s'agit d'un outil d'ouverture pour parler de soi, mettre en lumière les meilleurs moments du passé afin d'explorer la possibilité de se rapprocher de ses contextes de vie tant appréciés. Ce jeu permet également de rêvasser, d'imaginer et de réaliser que certains de vos rêves ne sont parfois pas si irréalistes. De plus, il peut s'avérer fort pertinent pour travailler l'estime de soi et le bien-être psychologique.

Matériel requis: Cahier, crayon.

Marche à suivre: Du côté gauche de votre cahier, écrivez vos 15 plus beaux moments à vie (vous en avez probablement déjà trouvé quelques-uns avec le jeu des Pensées et souvenirs) et, du côté droit, 15 idées de ce que vous feriez si vous gagniez 15 millions de dollars.

Voici l'exemple de Mathieu :

Mes 15 plus beaux moments à vie	Mes 15 millions de dollars
1. La naissance de Juliette.	1. Je rembourse mes dettes d'études.
2. Mon voyage au Mexique.	2. J'emmène tous mes proches en voyage.
3. Mon camp d'entraînement en Floride.	3. Je m'engage un chef cuisinier.
4. Mon week-end end à New York.	4. J'achète la maison de mes rêves.
5. Quand j'ai remis mon mémoire.	5. Je fais des placements.
6. Le souper spaghetti avec des amis.	6. Je lance une compagnie.
7. Le spectacle du groupe U2.	7. Je m'achète une voiture de sport.
8. Le bal des finissants.	8. Je prends une année sabbatique.
9. Ma rencontre avec Marie.	9. J'apprends à jouer de la guitare.
10. La demande d'être parrain.	10. Je gâte mes proches.
11. Le tournoi de basket à Lennoxville.	11. Je m'achète un chalet de pêche.
12. Ma première cuite avec Jean.	12. Je fais le tour du monde.
13. L'achat de ma première auto.	13. Je renouvelle ma garde-robe.
14. La dernière journée de l'école secondaire.	14. Je m'offre des billets du Canadien de Montréal.
15. Mes moments de pêche avec papa.	15 Je fais des dons à des organismes.

Retour sur le jeu: Plusieurs explorations et retours peuvent être faits sur ce jeu. Commencez d'abord par explorer les meilleurs moments du passé. Est-ce des moments récents? Cela fait-il longtemps? Étiez-vous seul ou avec d'autres personnes? Étiez-vous à la maison? En voyage? Est-ce que vous avez trouvé des moments heureux? Des moments de fous rires? Des réalisations personnelles, professionnelles?

Vos moments heureux se perçoivent-ils au quotidien ou dans des moments exceptionnels qui arrivent moins fréquemment?

Seriez-vous capable de dresser la liste des éléments nécessaires pour pouvoir recréer ces beaux moments? Afin de travailler l'estime, il est également pertinent d'écrire vos qualités et compétences à travers les choses que vous avez réalisées.

À titre d'exemple, si vous avez noté un voyage, vous devrez ressortir les qualités qui ont été nécessaires à la réalisation d'un tel voyage: capacités d'organisation, courage, débrouillardise, autonomie, curiosité, ouverture d'esprit, etc.

Quant à votre vision du futur, il est intéressant de se rendre compte des moyens que vous adopterez pour prendre soin de vous si vous n'avez pas de limite financière. À plus petite échelle, vous pouvez ainsi découvrir votre besoin de vous faire plaisir et de vous gâter, de vous rapprocher de vos proches, de vous planifier un voyage, de pouvoir poursuivre certaines études, etc. Cette seconde partie du jeu permet en outre de vous rendre compte de certains projets qui pourraient être réalisables et de certaines limites que vous avez parfois tendance à vous imposer. Ces limites n'en sont peut-être pas réellement, mais plutôt des étapes et des défis pour vous réaliser pleinement.

Bien entendu, il s'agit d'un jeu qui se savoure en prenant votre temps puisque de nombreux éléments peuvent ressortir et être intéressants à analyser. Le fait de revoir votre passé et de vous projeter dans le futur permet de mieux harmoniser votre présent.

L’avenue de mon couple

Les six types d'amour

Plus on avance dans la vie, plus on est obligé d'admettre que le sel de l'existence est essentiellement dans le poivre qu'on y met.

Alphonse Allais

Objectif: Effectuer un bilan de votre situation de couple actuelle ou envisagée afin de pimenter positivement votre vie et vos choix de couple.

Matériel requis: Crayon, cahier.

Marche à suivre: Lisez d'abord les six types d'amour tels que proposés par Lucien Auger, puis remplissez la fiche du cocktail souhaité. Pour ce faire, indiquez pour chaque type d'amour le pourcentage qui décrit votre couple actuel, puis explorez les moyens (les épices) à ajouter afin de parvenir au cocktail souhaité.

Selon bien des gens, l'amour serait un sentiment unique, sans mélange, présent ou absent; on aime ou on n'aime pas*. Les choses sont, en fait, un peu plus nuancées.

Le sentiment amoureux se présente en diverses saveurs, plus ou moins prononcées, qui peuvent se combiner les unes aux autres pour former des cocktails plus ou moins complexes. Parlons des saveurs de base, rarement présentes à l'état pur.

- **L'amoureux érotique** est celui qui est particulièrement attentif aux caractéristiques physiques de l'autre personne. Ses formes, son odeur, son potentiel sexuel sont autant d'éléments qui intéressent l'amoureux érotique.
- **L'amoureux ludique** est celui qui considère l'amour comme un jeu, un sport, une activité avant tout divertissante. Les caractéristiques personnelles de l'autre personne importent peu, sauf celles

* Tiré de *Prendre soin de soi* de Lucien Auger, Distribution Microthérapie.

qui se rapportent à sa capacité de jouer le jeu agréablement. Les partenaires se livrent à une aventure sans lendemain après laquelle, comme après un match de tennis, ils s'en vont chacun de leur côté sans regrets et sans forcément espérer un match de reprise.

- **L'amoureux d'amitié** recherche chez l'autre les caractéristiques personnelles plus stables, plus intimes et une compatibilité avec ses propres traits psychologiques: communauté de goûts, aspirations, valeurs. Ce qui plaît, c'est l'échange, le partage, les projets communs sans pour autant exclure les aspects érotiques.
- **L'amoureux pragmatique** procède un peu comme à l'épicerie, muni d'une liste de caractéristiques qu'il recherche chez un partenaire. Il s'agit souvent d'éléments très concrets (âge, compte en banque, situation sociale, état de santé) plus que d'aspects strictement personnels. C'est ce qu'on appelait jadis un amour de raison.
- **L'amoureux maniaque** cherche plus ou moins désespérément un partenaire dont l'amour, à ses yeux, viendra rehausser sa valeur personnelle. Pour lui-même, l'amoureux maniaque ne vaut rien. Il s'attache farouchement à l'autre comme un naufragé à une épave et se comporte généralement de façon très possessive. Ce type d'amour (fort douloureux) est souvent celui qui est présenté comme le vrai amour.
- **L'amoureux altruiste** est celui qui aime l'autre sans chercher quoi que ce soit en retour. Il est dévoué, n'est pas préoccupé par le gain personnel, se donne à l'autre sans attente.

Toutes ces formes d'amour sont évidemment du vrai amour. Il n'y a pas de faux amour. Ce terme est souvent utilisé par les personnes qui constatent que les autres les aiment d'un amour qui ne leur plaît pas. Ainsi, pour la personne qui recherche un amour d'amitié, l'amour ludique qu'on lui offrirait serait souvent (erronément) qualifié de faux amour.

Ces diverses formes d'amour peuvent se combiner. Que diriez-vous d'un amour érotico-amical, avec une pointe de pragmatisme, un brin d'amour ludique et un soupçon d'altruisme? Intéressant pour une relation prolongée. Si on pense plus à un week-end, l'érotico-ludique fera l'affaire. Le même amoureux n'a d'ailleurs pas forcément le même type d'amour envers tous ceux qu'il côtoie. Il aime A d'un amour surtout érotique, B d'un amour surtout amical et C d'un amour avant tout ludique. Pour D, il combinera érotique et ludique et, avec E, il sera surtout pragmatique.

Il importe aussi de ne pas confondre l'amour avec d'autres émotions qui lui sont apparentées, entre autres la pitié et la compassion. Ce n'est pas que ces émotions soient meilleures ou pires que l'amour, puisqu'il n'existe pas de bonnes ou de mauvaises émotions, elles sont simplement différentes et peuvent souvent cohabiter avec des sentiments amoureux de divers types. Rappelez-vous que les émotions ne sont pas plus stables que les idées (pensées) qui les « causent ».

Voici l'exemple de cocktail amoureux d'Émilie.

L'amour érotique 20 %	L'amour pragmatique 30 %
L'amour ludique 10 %	L'amour maniaque 5 %
L'amour amical 30 %	L'amour altruiste 15 %

Description de mon cocktail souhaité	**Comment je prévois m'y prendre pour y ajouter les touches d'amour souhaité**
J'aimerais ajouter une once supplémentaire d'amour érotique et quelques soupçons d'amour ludique.	Prendre plaisir à des jeux de charme avec mon copain, oser davantage en expérimentant de nouvelles choses avec lui.

Retour sur le jeu : Votre cocktail amoureux vous satisfait-il? Satisfait-il votre partenaire? Arrivez-vous à trouver certaines épices qui pourront mettre un peu de renouveau dans votre couple?

L'amour de soi

Il est bien vrai que nous devons penser au bonheur d'autrui, mais on ne dit pas assez que ce que nous pouvons faire de mieux pour ceux qui nous aiment, c'est encore d'être heureux.

Émile Auguste Chartier

Objectif: Reprendre confiance en soi, se sentir fort, solide, joyeux, à l'écoute de soi, beau, aimant, etc.

Matériel requis: Papier à lettre, crayon.

Marche à suivre: Lisez et imprégnez-vous de ce texte*. Souvenez-vous que vous êtes la personne la plus importante et la plus formidable de votre vie !

Le grand amour
J'ai rencontré le grand amour.
Le vrai, le seul. Celui dont on n'ose pas rêver.
Celui qui dure bien plus qu'un temps. Il est, aime, vibre avec moi, partage tous mes moments, mes doutes, mes rires, mes angoisses, mes fiertés.
Intense, passionnel, fusionnel. Il ne me quittera jamais. Il m'accompagne à chaque pas, à chaque instant.
Fidèle, il le sera toujours. Aimant, respectueux.
Toujours.
Présent.
Mon premier amour, mon dernier amour, la seule personne capable de m'aimer vraiment, elle est en moi.
Elle est moi.

Dorénavant, soyez amoureux de la personne que vous êtes. Soyez l'amoureux que vous recherchez tant. Transformez-vous en acteur. Ressentez les émotions, les papillons dans votre cœur, l'état d'amour

---

* Tiré du livre *La voyageuse sans histoire* de Florence Ramya Memmi.

que vous éprouvez d'habitude pour quelqu'un d'autre. Gâtez-vous, souriez-vous, amusez-vous, faites-vous beau devant le miroir le matin en vous habillant, chantez.

Écrivez-vous une lettre d'amour.

Cher moi,

Je m'engage à me choisir, à m'occuper de moi.
Au lieu de chercher à l'extérieur, je trouve à l'intérieur.
Au lieu d'attendre, je trouve déjà dans le moment présent ce qu'il y a de mieux.
Au lieu de prouver aux autres, je n'ai qu'à être ce que je suis.
Au lieu de chercher l'amour à l'extérieur, je suis l'amour que j'ai toujours recherché.

Je m'engage à me respecter. Je m'assure par ma seule présence une profonde paix. J'honore tout ce que je suis : mes intuitions, mes émotions, mes rêves et mes passions. Je développe maintenant ma propre sécurité intérieure. Je célèbre à chaque occasion qu'il m'est donné avec des petits gestes.

En ce jour du ______________________________,
Signé : ______________________________

Retour sur le jeu : Comment vous sentez-vous ? Qu'est-ce qui a changé dans votre vie quelques jours après avoir écrit votre lettre ? Qu'observez-vous dans votre façon de voir les choses, votre manière d'être et ce que vous percevez ?

Le parfum de la rose, ou le jeu du 5/5/5

Il reste toujours un peu de parfum dans la main de celui qui donne les roses.

Confucius

Objectif: Prendre conscience du nombre d'échanges positifs et négatifs dans votre couple, tout en cherchant les éléments positifs et significatifs.

Matériel: Crayon, cahier.

Marche à suivre: Lisez le petit texte sur les interactions et faites le jeu du 5/5/5.

Quel est votre ratio d'interactions positives par rapport à vos interactions négatives? Certains chercheurs avancent que pour bien fonctionner dans les différentes sphères de vie (couple, travail, amis, famille), vous devriez faire cinq compliments (interactions positives) pour une critique (interaction négative). L'effet positif des compliments est plus facilement perceptible chez autrui, mais souvent sous-estimé pour le donneur, alors qu'en réalité il en gagne souvent le même bénéfice, sinon plus. Il s'entoure ainsi davantage de sourires qui sont à leur tour contagieux.

En relevant ce que les gens ont ou font de bien, ça vous oblige en quelque sorte à adopter un regard positif en général sur vous, les autres et l'avenir en général, caractéristique principale de l'estime de soi. Vous avez tout à gagner à l'essayer. Faites-vous un cadeau: complimentez!

Voici l'exemple du jeu du 5/5/5 de Frédérique.

Cinq compliments ou commentaires positifs donnés à l'autre	Cinq compliments ou commentaires positifs reçus du partenaire	Cinq effets positifs des compliments donnés ou reçus
Je lui ai dit toute mon appréciation pour son bon souper.	Il m'a dit que mes jeans mettaient mon corps en valeur.	Nous avons fait l'amour.
Je lui ai dit que son veston lui allait bien.	Il m'a dit qu'il m'aimait.	Nous avons ri.
Je l'ai remercié pour les courses.	Il m'a dit que je le faisais rire.	Nous nous sommes rappelé nos débuts.
Je lui ai dit qu'il était un amour.	Il m'a félicité pour mon poste.	Nous avons eu moins de tensions.
Je lui ai dit qu'il me rendait heureuse.	Il m'a remercié pour le massage.	Nous prévoyons partir une fin de semaine en amoureux.

Retour sur le jeu: Prenez conscience de votre tendance à critiquer plutôt qu'à vous concentrer sur les aspects positifs de votre quotidien. En nommant les éléments positifs, vous aurez tendance à mieux les observer dans votre vie de tous les jours et ainsi à complimenter davantage, ce qui augmentera sûrement les chances de voir certains comportements désirés se reproduire.

Renforcer mes liens

*Ne laissez pas une petite dispute
meurtrir une grande amitié.*

Dalaï-Lama

Objectif: Renforcer les liens de couple en mettant en lumière de bons moments de couple et ce qui est apprécié chez le partenaire.

Matériel requis: Crayon, cahier et, bien sûr, votre partenaire !

Marche à suivre: Répondez au questionnaire suivant avec votre partenaire, mais chacun de son côté, puis échangez vos réponses.

Voici l'exemple du couple formé de Sophie (S) et d'Éric (É).

Expliquez comment vous vous êtes rencontrés. S: Au mariage de Marc et Geneviève, lorsqu'il m'a invité à danser. É: Au mariage, quand elle me regardait avec son sourire.
Nommez trois choses ou caractéristiques que j'apprécie chez mon conjoint. S: Son charme, son humour, sa sensibilité. É: Son humour, sa beauté, sa personnalité.
Décrivez un de vos beaux moments de votre vie de couple. S: Notre voyage à Paris. É: Paris, en automne dernier.
Nommez un facteur, un élément du «fonctionnement» de votre partenaire. S: J'ai compris qu'il a besoin de temps pour lui lorsqu'il revient du travail. É: J'ai compris qu'elle n'aime pas quand je critique ses amies.
Mon activité préférée avec mon conjoint. S: Lorsqu'on cuisine ensemble. É: Sans nul doute quand on fait l'amour.

Nommez une chose qui fait que vous vous sentez vraiment bien et proche de votre conjoint. S : Lorsqu'il m'a dit « Je t'aime » pour la première fois. É : La fin de semaine au Spa scandinave.
Un projet que j'aimerais faire avec mon conjoint. S : Avoir un enfant. É : L'achat d'un condo ensemble.
Un moment cocasse qui a été partagé ensemble. S : Au restaurant, quand nous avions oublié chacun notre portefeuille. É : Quand elle est tombée en ski en fonçant dans une pancarte.
Choisissez un mot pour décrire votre relation. S : Complémentarité. É : Bien-être.
Terminez la phrase : « Pour moi, tu es ... » S : Mon homme, mon amant, mon ami et mon éternel complice. É : Ma douce folie, ma douce chérie.

Retour sur le jeu : Il est parfois très important de vous souvenir des fondements de votre relation et de reprendre conscience de vos choix, de vos privilèges trop souvent tenus pour acquis. Le jeu est aussi plaisant à faire qu'à entendre ; il permet de vous rappeler, par exemple, que de la vaisselle, c'est juste de la vaisselle !

Les étiquettes relationnelles

La souffrance de l'emprisonnement réside dans le fait que l'on ne peut à aucun moment s'évader de soi-même.

Abe Kobo

Objectif: Prendre conscience de votre tendance à cibler votre attention sur les irritants de votre couple et vous permettre de reporter votre regard sur les éléments sur lesquels vous souhaitez réellement vous concentrer.

Matériel requis: Cahier, crayon.

Marche à suivre: Lisez et faites le jeu suivant.

Quelles sont vos étiquettes relationnelles par rapport à l'autre? Qu'est-ce que vous avez d'abord noté afin de ne pas les oublier et de vous les répéter? Les étiquettes relationnelles vous placent dans l'attente de l'autre. Il devient judicieux de vous recentrer sur vous, de moins conjuguer au «il» et de le faire au «je», ce qui vous met dans une position active et vous donne donc plus de chances de vous combler.

Les étiquettes sont ce que vous attribuez à l'autre et les conclusions hâtives que vous avez tendance à faire.

Voici l'exemple de Pascale.

Mes étiquettes relationnelles

Je vais arriver à la maison et il n'aura pas fait la vaisselle ni sorti les déchets.

Qu'est-ce que je choisis de faire avec mes étiquettes?

Je veux arriver à la maison et être de bonne humeur. Je veux sourire et prendre plaisir ensemble à faire le souper et la vaisselle si elle n'est pas faite. Je veux rire et me détendre tout en nous racontant nos journées. Je mets mon étiquette à la poubelle!

Retour sur le jeu: À force de chercher toujours les points négatifs, on finit souvent par les trouver et c'est d'ailleurs ce qu'on cherche ! Il ne s'agit pas de vous oublier et d'oublier certaines de vos attentes, mais de les équilibrer en choisissant de porter votre attention sur ce qui va également bien dans la relation, vous concentrer sur les solutions et non ressasser le problème.

La gymnastique du désir

La gymnastique du désir:
savoir faire taire les pensées intrusives.

Auteur inconnu

Objectif: Être capable de faire taire certaines pensées intrusives afin d'être davantage concentré sur l'instant présent et sur vos réels désirs du moment.

Matériel requis: Cahier, crayon.

Marche à suivre: Pratiquez l'arrêt des pensées intrusives afin de pourvoir vous concentrer sur les zones souhaitées.

En panne de désir? Pour avoir envie d'une chose, il faut d'abord y penser! Plusieurs personnes s'interrogent sur leur amour et leur union puisqu'elles semblent ressentir moins de désir envers leur partenaire. Comme la nouveauté est moins présente, les pensées et la zone de focalisation deviennent de plus en plus importantes. Attention, avant de faire éclater votre couple, il peut être pertinent d'explorer ce que vous avez en tête. Pensez-vous au lavage? Aux enfants? À votre dossier à remettre demain? Il est à parier que ces pensées ne sont pas très excitantes! Répondez aux questions suivantes afin de trouver la zone de focalisation souhaitée. L'exemple de Nicolas se trouve à droite.

Qu'est-ce que j'aime recevoir ?	Chuchoter des « je t'aime ».
Qu'est-ce que j'aime donner ?	Des clins d'œil charmeurs.
Où est-ce que j'aime être embrassé ?	Dans le cou.
Où est-ce que j'aime embrasser ?	Sur sa bouche.
Quelle est ma position préférée ?	Dans la douche.
Qu'est-ce que j'aimerais essayer ?	J'aimerais « baptiser » son bureau.
Quelle partie de son corps est-ce que je préfère ?	Ses fesses.
Comment est-ce que je veux le charmer ?	Je veux la surprendre par une danse érotique.
Etc.	

Retour sur le jeu : La gymnastique du désir nécessite de la pratique. Dites stop aux pensées non excitantes, concentrez-vous sur l'autre, sur le moment présent et, surtout, prenez part à l'action non par obligation ou parce que ça commence à faire longtemps, mais bien par plaisir et recherche de plaisir avec l'être aimé.

L'avenue de mon futur

Mes cinq grands rêves de vie*

Il y a, dans notre âme, un lieu où nous nourrissons nos plus grands désirs. Ces désirs sont nos Cinq Grands Rêves de vie.

Ma Ma Gombé

Objectif: Oser rêver, et mettre en mots vos rêves et ainsi leur donner la possibilité de se réaliser.

Matériel requis: Cahier, crayon.

Marche à suivre: Le rythme de vie trépidant, le stress de nos sociétés et le manque de temps font que la plupart des gens délaissent leurs rêves. Notez les cinq choses que vous désirez faire, voir ou expérimenter dans votre vie. Rappelez-vous des désirs que vous aviez enfant.

Ces choses n'ont rien à voir avec ce que vos parents, voisins, patron, famille ou même partenaire de vie pensent. Ces choses sont importantes pour vous, pas pour les autres.

Écrivez-les sans vous limiter financièrement. Écoutez votre cœur et inspirez-vous de vos valeurs profondes. Inscrivez des rêves très précis comme:

1. Un voyage en Terre de Feu (plutôt que seulement voyager).
2. Créer une cuisine collective pour les personnes végétaliennes.
3. Danser le tango en Argentine.
4. Jouer de la guitare.
5. Participer à un marathon (alors que je n'ai jamais fait de sport de ma vie).

Retour sur le jeu: Écrivez vos rêves sur un papier que vous mettrez entre le matelas et le sommier de votre lit afin de dormir dessus. Vous pouvez aussi découper des images en lien avec chacun d'eux et

* Inspiré du livre *Le safari de la vie* de John P. Strelecky.

confectionner une carte au trésor (voir sous la rubrique « L'avenue de mes idées de génie »). Vous pouvez aussi vous procurer le film *The Bucket List* (en français international *Sans plus attendre,* et la version française au Québec, *Maintenant ou jamais*).

Ma boule de cristal

Je m'intéresse à l'avenir parce que c'est là
que je vais passer le reste de ma vie.

Charles F. Kettering

Objectif: Visualiser vos projets accomplis afin de favoriser leur réussite future.

Matériel requis: Crayon, boule de cristal.

Marche à suivre: À l'intérieur de votre boule de cristal, définissez votre vision de vous dans le futur en train d'accomplir votre projet par l'écriture, par des dessins, par des collages, etc.

Voici l'exemple de la boule de cristal de Manon.

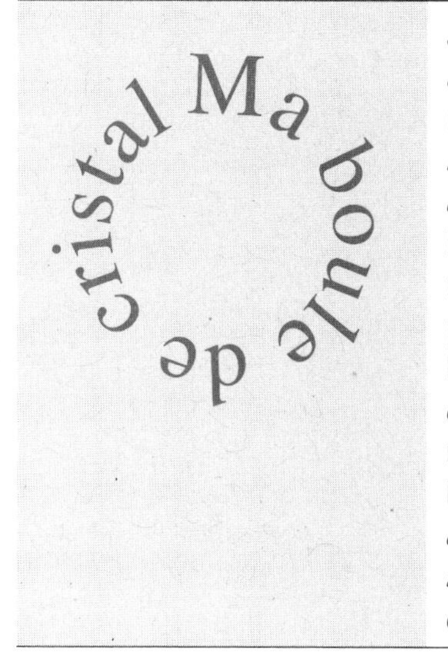

Je me vois en train de terminer mon doctorat et d'effectuer un discours de remerciement pour tous ceux qui m'ont aidée à accomplir ce rêve. Je me vois dans ma longue et belle robe de mariée, heureuse et regardant du coin de l'œil mon amoureux. Je me vois prendre des photos de voyage avec mon amoureux, les deux riant aux éclats avec une étincelle d'amour dans nos regards. Je me vois professionnelle, avec ma mallette et mes lunettes Chanel. Je me vois dans ma petite décapotable, les cheveux au vent, fredonnant de belles chansons qui passent à la radio.

Retour sur le jeu: Il est intéressant d'observer le projet que vous avez choisi d'accomplir et de le mettre de l'avant. Le simple fait de vous imaginer réussir votre objectif agit comme un déclencheur de mise en action; il peut également être utile pour maintenir votre motivation quant à la poursuite de votre but. Le fait de revoir attentivement votre boule de cristal et chaque étape de l'atteinte de vos objectifs renforce votre motivation.

Mon accomplissement

L'avenir n'est jamais que du présent à mettre en ordre.
Tu n'as pas à le prévoir, mais à le permettre.

· Antoine de Saint-Exupéry

Objectif: Créer en douceur ce que vous souhaitez au plus profond de vous en utilisant le pouvoir de l'intention et celui de la visualisation.

Matériel requis: Papier à lettre, enveloppe, stylo.

Marche à suivre: Écrivez-vous une lettre qui peut aussi être adressée à un ami fictif. Cette lettre doit être datée dans le futur (par exemple, la date de votre anniversaire, le 31 décembre) et écrite au passé. En effet, le contenu ne s'est pas encore réalisé, mais vous allez l'écrire comme si c'était déjà fait; en voici un exemple:

> Le 31 décembre 2012 (alors que nous ne sommes qu'en 2011)
>
> Chère Corinne,
>
> J'ai appris à jouer du piano. Je joue parfaitement trois morceaux qui me font vibrer. Cette année, j'ai pu changer d'emploi et enfin me sentir libre et accompli car ce que je fais me correspond parfaitement. J'ai aussi voyagé à Cuba où j'ai dansé le tango, cette danse qui m'a toujours passionné! Ma santé est optimale. Je mange beaucoup de fruits et de légumes. Je me sens plein de vitalité et mon sommeil est très réparateur car je me couche plus tôt.
>
> Signé Maxime

Voici un petit guide d'éléments pour vous accompagner dans votre démarche. Inscrivez sur votre papier à lettre:

- La date;
- Le lieu (vous pouvez écrire un autre pays ou une autre ville);
- Cher (Chère)...;
- Cette année, j'ai réalisé...;

- Cette année, ma santé... ;
- Cette année, à mon travail... ;
- Cette année, en amour... ;
- La plus grande chose que j'ai vécue, c'est...

Enfin, signez votre lettre.

Retour sur le jeu: Mettez la lettre dans une enveloppe et déposez-la sous votre matelas. Inscrivez la date dans votre agenda et relisez la lettre à ce moment-là.

Conclusion

Félicitations pour avoir accompli ce cheminement de croissance personnelle en faisant les jeux proposés. Nous espérons qu'ils vous ont permis d'avoir une meilleure connaissance de vous-même et de mieux prendre conscience de votre plein potentiel.

Certains chercheurs stipulent que nous aurions tendance à perdre après seulement six mois une nouvelle information acquise. Plusieurs entreprises connaissent cette statistique et font d'ailleurs de plus en plus confiance au principe de la formation continue. Afin de maintenir vos acquis, il vous est donc suggéré d'être un bon gestionnaire de votre actualisation et de bien pratiquer ces jeux en effectuant vos propres mises au point dans ce même intervalle.

Le processus de changement est amorcé. Il n'en tient qu'à vous d'y prendre plaisir et d'en favoriser les bienfaits en renouvelant ces exercices et en demeurant dans l'action. Faites que ces découvertes soient significatives dans vos vies ; il est important de connaître ces différentes stratégies de gestion, mais il est encore plus important de les appliquer !

Bonne ascension et rappelez-vous que le plus beau des voyages est celui que vous êtes en train de faire !

Bibliographie

Adler, Ronald B. et Towne, Neil. *Communication et interactions*, 2e édition, Éditions Études Vivantes.

Auger, Lucien. *La démarche émotivo-rationnelle: théorie et pratique*, Distribution Microthérapie.

Auger, Lucien. *Prendre soin de soi*, Distribution Microthérapie.

Bourbeau, Lise. *Stop au contrôle, écoute et mange*, Éditions Etc.

Burns, D. *Être bien dans sa peau*, Éditions Héritage inc.

Childre, Doc et Martin, Howard. *L'intelligence intuitive du cœur*, Éditions Ariane.

Coupal, Marie. *Dictionnaire des rêves*, Éditions de Mortagne.

Dubos, Viviane. *Les émotions*, ESF éditeur.

Fabart, Patrice. *Révélez le manager qui est en vous*, Éditions EMS.

Fordyce, Michael W. «Éducation au bonheur», *Revue québécoise de psychologie*, vol. 18, no 2, 1997 (inspiré de la traduction de Pierre Cousineau).

Goleman, Daniel. *L'intelligence émotionnelle*, J'ai lu.

Gratton, Nicole. *L'art de rêver*, Éditions Flammarion.

Institut de psychophysiologie appliquée. *Documents de l'IPA*, 2007.

Legault, Paul-Hubert. *Roue de secours pour l'humain*, Éditions Quebecor.

Monbourquette, Jean, *et al. Je suis aimable, je suis capable*, Novalis.

Monbourquette, Jean, *et al. Stratégies pour développer l'estime de soi et l'estime du Soi*, Éditions Bayard.

Portelance, Colette. *Aimer sans perdre sa liberté*, Éditions du CRAM.

Ramya Memmi, Florence. *La voyageuse sans histoire,* Éditions Complicité.

Rathus, Spencer A. *Psychologie générale*, 3e édition, Éditions Études Vivantes.

Salomé, Jacques. *Vivre avec soi : chaque jour... la vie*, Éditions de l'Homme.

Salomé, Jacques et Galland, Sylvie. *Si je m'écoutais... je m'entendrais*, Éditions de l'Homme.

Servan-Schreiber, David. *Guérir*, Éditions de l'Homme.

Sharma, Robin S. *Le moine qui vendit sa Ferrari*, Éditions Un monde différent.

Strelecky, John P. *Le safari de la vie*, Éditions Le dauphin blanc.

Vallerand, Robert J. (dir.). *Les fondements de la psychologie sociale*, Gaëtan Morin Éditeur.

Vidal-Graf, Carolle et Serge. *La colère, cette émotion mal aimée : exprimer sa colère sans violence*, Éditions Jouvence.

Les activités professionnelles des trois auteurs

Marie-Véronique Matte, M.A.
www.mvpsy.com
Psychologue
Conseillère organisationnelle et conseillère à l'auto-exclusion
Intervenante en situations de crises post-traumatiques
Formatrice et conférencière

Marie-Véronique Matte, qui a obtenu une maîtrise ès arts en psychologie de l'Université de Trois-Rivières, en est à sa dixième année de pratique en tant que psychologue. En plus de sa pratique privée, elle s'est jointe à l'équipe de Jacques Lamarre et associés depuis plusieurs années. Elle s'occupe des consultations individuelles comme psychologue et conseillère organisationnelle. Elle fait partie de la cellule de crise et prend part à des interventions en situation de stress post-traumatique. Par ailleurs, elle se spécialise dans l'évaluation du jeu excessif par le biais du service bonifié de l'auto-exclusion des casinos du Québec. Au cours de ses années de pratique, elle s'est plus particulièrement concentrée sur deux problématiques : le trouble alimentaire et le jeu excessif.

Mme Matte est également appréciée pour ses qualités de conférencière et de formatrice. Elle a donné plusieurs ateliers, formations et conférences sur des thèmes aussi variés que l'estime de soi, le langage intérieur, la gestion des émotions, la communication, la quête d'un équilibre de vie, etc.

Pour Mme Matte, la psychologie requiert une acuité particulière ; il s'agit d'une véritable passion qu'elle veut transmettre par des rencontres individuelles où elle peut aider directement la personne qui consulte ou par ses formations données à un plus large public. Avec ce livre, elle ajoute une nouvelle corde à son arc. Elle veut poursuivre l'écriture de livres et tenir à jour son site afin de partager certains acquis et de semer ne serait-ce que quelques grains du fameux bien-être psychologique. Elle se donne comme but de présenter la psychologie par passion, par intérêt et avec humour, sans prétention, mais avec la plus grande ambition de favoriser le mieux-être des personnes.

Son horaire est bien chargé, mais elle prend le temps de répondre à certains commentaires ou certaines demandes de rencontre. Vous pouvez la joindre sur son site : www.mvpsy.com.

* * *

Mélina Antoniou, M. A. Ps.
Psychologue
Naturopathe, coach alimentaire
Accompagnatrice à la naissance
Conférencière

Ce qui pourrait bien représenter Mélina Antoniou, c'est certainement de permettre aux gens de se réaliser en se réappropriant leur plein potentiel et de se sentir libres au quotidien. En effet, l'estime et l'amour de soi sont au cœur de ses intérêts les plus chers.

Diplômée en psychologie en France en 1998, elle vient s'installer au Québec. Passionnée par son métier, Mme Antoniou ne manque pas une occasion d'intégrer les nouveaux concepts et outils de croissance personnelle afin de les transmettre à sa clientèle pour que celle-ci accède aussi à ces outils profonds de connaissance de soi.

Par ses conférences animées, les gens découvrent de nouvelles méthodes avant-gardistes et créatives. Ils prennent ainsi plaisir à clarifier leur mission de vie, à essayer des outils d'actualisation de soi dans l'optique de rendre chaque instant de leur vie le plus agréable et le plus ressourçant possible.

Dans cette soif d'équilibre entre le corps et l'esprit, c'est en 2006 que Mélina Antoniou découvre la naturopathie et obtient son diplôme quelques années plus tard. Elle privilégie donc cette quête d'équilibre dans sa pratique en proposant du coaching alimentaire. Les ateliers ludiques et interactifs permettent aux participants de se réapproprier leur corps en reconnectant physiologie et psychologie. Elle anime également des fins de semaine de ressourcement qui favorisent l'unification avec la nature.

En 2010, elle décide de faire de l'accompagnement à la naissance. C'est avec sa générosité et son grand cœur qu'elle outille les couples dans leur accomplissement en tant que parents avec des cours prénataux spécifiquement conçus pour eux.

Pour tout renseignement, contactez Mélina Antoniou au 514 751-2597 ou par courriel : melinapsy@gmail.com.

* * *

Paul Hubert Legault
Thérapeute
Conférencier
Auteur
Formateur agréé Emploi Québec

Service professionnel comme thérapeute spécialisé
Pourquoi consulter ? Difficultés personnelles, épreuves, relations interpersonnelles, réorientation de sa vie, investissement pour la vie.

Aussi : agression, anxiété, angoisse, alcool, cancer, dépendance, deuil, dépression, insomnie, phobie, perte d'emploi, peur, obésité, séparation, tabagisme, stress.

Si vous cherchez une façon rapide, efficace et puissante de trouver des solutions à vos problèmes, je vous propose différentes approches qui peuvent être combinées selon vos besoins.

Conférences et ateliers

Dans la série des conférences « Mieux-être », voici quatre conférences qui sauront répondre aux préoccupations d'aujourd'hui.

Mieux interagir avec son entourage

Quelle est votre couleur ?

La Méthode AeC de Swissnova propose quatre comportements de base que l'on trouve chez chaque individu à des intensités différentes. Celle-ci favorise une mémorisation simple et durable des différences comportementales.

Cette approche est validée et s'appuie sur des travaux les plus marquants sur les comportements humains : ceux de William Moulton Marston sur le système DISC (associé au langage des couleurs), ceux de Carl Gustav Jung sur les huit types psychologiques et ceux d'Eduard Spranger sur les six motivations de l'humain. La combinaison de ces travaux est unique à la Méthode AeC et fait d'elle une approche rigoureuse et complète.

Mieux vivre avec les énergies du stress

Une nouvelle approche mesurable

D'abord, vous observerez les signes physiologiques et physiques du stress. Puis, vous apprendrez rapidement des trucs et astuces simples pour mieux gérer les stress qui vous serviront tout au long de votre vie. Grâce à l'ordinateur, certains pourront observer l'impact de leurs pensées. Tout cela vous conduira vers des exercices pratiques d'auto-évaluation sous forme de jeux.

Mieux gérer votre intelligence émotionnelle

Utilisez-vous votre quotient émotionnel (QE) ?

- Un bref historique : de l'hérésie à l'époque de l'Inquisition.
- La définition de l'intelligence émotionnelle, du cœur ou intuitive.
- Savez-vous comment se manifeste cette forme d'intelligence ?
- Augmentez votre intelligence intuitive avec des trucs simples et des exercices pratiques.
- Les exercices de rétention, un atout précieux.

Mieux dormir et rêver, cauchemars inclus !

Avez-vous des problèmes de sommeil ?

Dix conseils pour favoriser la sécrétion de la mélatonine.

Vous connaissez cette maxime : « La nuit porte conseil. »

Pourquoi et comment analyser les rêves.

Saviez-vous que nous sommes plus intelligents la nuit que le jour ?

Contactez-le sur son site :
www.paulhubertlegault.com.

Table des matières

Marquis imprimeur inc.

Québec, Canada
2011

Imprimé sur du papier Silva Enviro 100% postconsommation
traité sans chlore, accrédité ÉcoLogo et fait à partir de biogaz.

100%